ちくま新書

香港とは何か

野嶋 剛
Nojima Tsuyoshi

1512

香港とは何か【目次】

第一章
境界の都市

†中国へ聖書を運んだ旅

被写体としての香港は、どこからどう撮っても、いい写真になる。二〇一四年の雨傘運動でも、二〇一九年の逃亡犯条例改正反対に端を発した抗議デモでも、香港の写真が何度も米TIME誌など国際的なニュース雑誌や新聞のトップを飾った。日本や台湾の光景ではあまり起きないことだ。香港の「顔値（ビジュアル力）」は昔も今も、とても高い。

テレサ・テンが名曲『香港』で「星くずを地上に蒔《ま》いた」と歌い、一〇〇万ドルの値がつけられた香港の夜景を、啓徳《けいとく》空港へアプローチする機内の窓越しに見たときの感動を、私は忘れることはない。一九八七年夏、大学一年生であった私に、香港経由で中国へ聖書を運ぶという計画が持ちかけられた。

公式に無神論の立場をとる中国共産党は、カトリック・プロテスタント・イスラム教・仏教・道教を公認宗教としているが、宗教活動に警戒的な立場をとっている。信仰の維持は構わないが、布教のための聖書印刷が制限され、聖書が不足した時代があった。

聖書を運ぶかわりに、交通費や滞在費は、香港側のキリスト教系のNGOが持つ。そんな話であったと思う。横山光輝の漫画『三国志』を愛読し、大学の第二外国語で中国語を習っていた私は、あまり考えもなく、リスキーな誘いに飛びついた。中学生時代から地元横浜の教会に通っており、「中国の兄弟姉妹のために聖書を運びましょう」という呼びかけに心が動き、ジャーナリスト志望の好奇心を刺激された点もあった。

一九八〇年代の中国は、少なくとも、いまのような怖い警察国家のイメージはなかった。ただ、話を持ちかけた教会の先輩から「毛沢東《もうたくとう》は宗教をアヘンと呼んだ」という話を聞かされ、アヘンと宗教という言葉が結びつく意外性に、動悸が速くなった気がした。

同じクリスチャンの大学生ら一〇人ぐらいのグループで一緒に香港に渡り、夜は香港大学のドミトリーで眠った。翌朝、NGOで一人につき数十冊の聖書を受け取り、リュックの底に詰め込んだ。中国のイミグレーションで緊張した記憶はない。係員に止められたら

「友人への贈り物」と説明するように指示され、見つかっても没収で済むとの話だった。税関を無事通り抜け、広州市内の下町にあった「地下教会」を訪れた。地下教会といっても地下にあるわけではなく、非合法の教会という意味で、普通の雑居ビルの中にあった。一般住宅の奥に十字架と祭壇のある小さなスペースがあり、初老の男性牧師が待っていた。牧師が「危険を冒して聖書を運んでくれて本当にありがとう。何人もの中国人が救われることになります」と涙を流して感謝してくれた。私たちもつられて涙ぐんだ。

これが私にとっての最初の中国体験なのだが、後々の人生に大きな影響を与えたのは、経由地にすぎない香港体験のほうだったから、人生とはわからない。

数日間の滞在で、私は、香港にすっかり魅せられていた。

†Hong Kong と呼ばれる理由

香港のことを中国では「弾丸の地」と呼ぶ。もともと「弾丸」は小さな鳥を捕獲するために使われた弾き弓で使う小さな球のことだった。ただ、香港自体は丸くはなく、いびつに歪んだ逆三角形で、ほとんどが人の住めない二〇〇以上の小島も含んでいる。

深い水深のある入り組んだ海岸線は、古くは海賊の隠れ家として重宝され、海上交通が発展した近代に天然の良港として英国人の目に留まり、一八四〇―四二年のアヘン戦争で清《しん》朝から事実上強奪されたことが、香港史の始まりである。

もともと香木の産地だったということで香港と呼ばれた、という説もあるが、確証はない。ただ、香る港というロマン溢れる響きを持つ名前で、香港はかなり得をした。

香港の地理的価値は、中国全土の地図や香港単体の地図より、広東《カントン》省や中国南部を含んだ地図で見るとわかりやすい。長江、黄河についで中国で三番目に長い珠江《しゅこう》は、河口部分で巨大なデルタ（三角州）を形成しており、その広がり尽くした河口の東端に香港、西端にマカオがある。巨大河川のデルタにまたがる二つの都市といえば、南米ラプラタ川のアルゼンチン・ブエノスアイレスと、ウルグアイ・モンテビデオを思わせる。

珠江デルタの喉笛のところに、巨大都市・広州がある。広州から香港・マカオに至る一帯が「世界の工場」と呼ばれる珠江デルタ地域だ。香港に近づき切ったところに深圳がある。深圳から川を越えればもう香港だ。

深圳と接するのは香港のなかで「新界《しんかい》（New Territories）」と呼ばれる地域で、香港の面積の九割はこの新界が占める。農村風景も残っている一方、香港島や九龍《クーロン》の都市部から逃げ出すように流出した人口を収容する高層ビルが林立するニュータウンが、MTR（Mass Transit Railway、港鐵）の駅ごとに築かれている。新界から南下すると、下町と商業街の九龍があり、さらにビクトリアハーバーを渡ると香港島に達する。

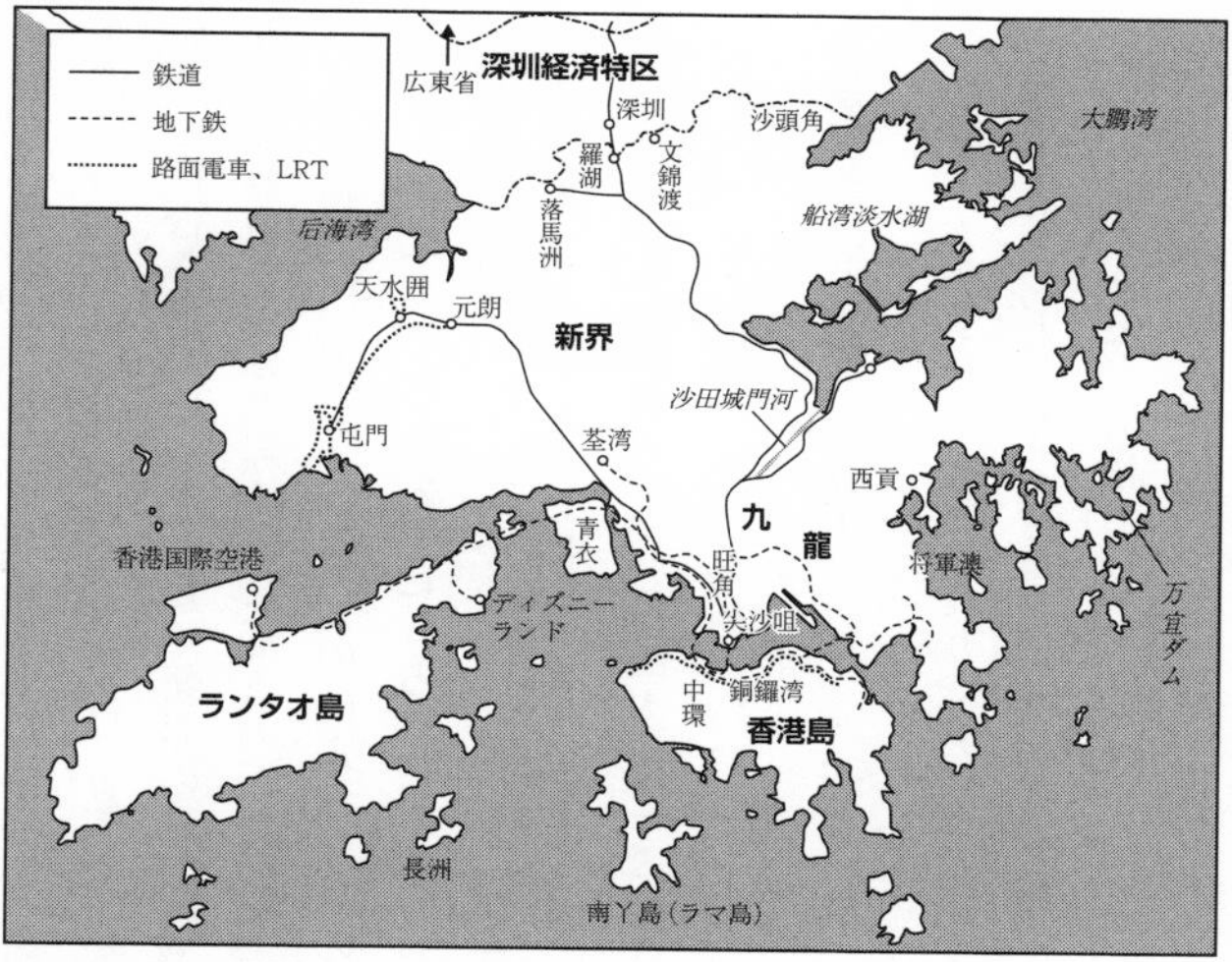

香港概略図（『中国年鑑2014』毎日新聞社をもとに作成）

香港島、九龍、新界をまとめて現在の「香港」と呼ぶが、アヘン戦争による南京《ナンキン》条約で割譲されたのは、ビジネス街の中環（セントラル）や商業地区の銅鑼湾（コーズウェイベイ）がある香港島だけで、一八六〇年のアロー号事件の「北京《ペキン》条約」で九龍が割譲された。尖沙咀（ティムシャーツイ）や旺角（モンコック）がある九龍は大陸の先端部分にあたる。一八九八年の新界租借条約により、英国は九九年の期限で清朝から新界を租借した。

香港返還が行われた一九九七年は、新界租借条約の期限であった。ということは、法律上、割譲された九龍や香港島は含まれず、返還は新界だけでよかった。英国はこの理屈を持ち出して譲歩を引き出そうとしたが、鄧小平《とうしょうへい》に「どのような条件でわれわれのものにするかは、私たちが決めることであって、あなたに発言権はない」と拒否されている。ただ、新界のみの返還は、現実的ではなかった。日中は香港島や九龍で働き、夜は新界の家に帰るのが典型的な香港ライフだからだ。

英語表記の「Hong Kong」の由来は今日の香港で使われる標準的な広東語ではない。それだと「Heung Gong」になる。日本人にはやや難度の高い発音だ。標準中国語（北京語）では「Xiang Gang」でもっと遠い。「Hong Kong」は、香港にもともと多く暮らしていた「蜑民《たんみん》」と呼ばれる水上居民の発音に近いとされる。英国人が香港に来たとき、海辺で「蜑民」に出会った。英国人が「ここはどこか」と尋ね、彼らの発音を「Hong Kong」と聞き取り、その名前がついたとの説がある。

†香港中文大学と天安門事件リーダー

私はすっかり香港が気に入り、大学三年から日本の大学を一年間休学し、香港中文大学の留学生として香港で暮らすことになった。大学は新界にあり、九龍の市街地から電車で三〇分はかかる。九龍と新界を隔て、香港人の心の故郷ともいえる獅子山（ライオン・ロック）のトンネルを抜けてしばらく進むと「大学」という駅がある。駅の目の前の山一つがまるごと大学のキャンパスで、駅前には大学のグラウンドが広がっている。ここが二〇一九年一一月に警察とデモ隊の間で起きた衝突の現場となった。その夜は、炎がめらめらと燃え盛る攻防をネットの生中継で見ながら一睡もできなかった。外部と隔絶された静かなキャンパスが「戦場」となる状況は、ただただ、非現実的に思えた。

香港中文大学は、香港各地の三つのカレッジが合併して設立された経緯から、大学も三つのカレッジに分かれていた。山の上にある新亜書院（ニュー・アジア・カレッジ）の知行楼という宿舎に私は入寮した。一九八九年夏のことだ。直前の一九八九年六月に、北京で天安門事件が起きた。入寮してしばらくすると「寮の中に「蛇」がいる」と同室の香港人学生から教わった。蛇とは、天安門事件で北京から逃亡してきた学生リーダーのことだった。香港では、暗い場所に隠れているものを蛇と称することがある。

一留学生には大きすぎる話で、詳しい事情はわからなかったが、あとになって、当時の香港では天安門の学生活動家たちを中国から脱出させる「黄雀計画」が進行中だったことを知った。中国から闇夜に乗じて海上ボートで香港に活動家を「密輸」し、香港の各所で匿《かくま》いながら、英仏政府の力も借りて、香港から脱出させるプロジェクトだ。一〇〇人以上が救い出されたと言われ、活動家として著名な柴玲《さいれい》（チャイ・リン）やウアルカイシなども、この黄雀計画で香港から海外に出ている。

「蟷螂捕蟬、黄雀在後」ということわざがあり、蟷螂《とうろう》（カマキリ）は目の前の獲物（セミ）を捕ろうとして、本当の脅威（スズメ）に気がつかない、という意味になる。カマキリは中国当局、セミは民主化活動家、スズメは香港の支援組織を指した。中国と香港との間には薬物や人を密かに運ぶ様々な輸送ルートがある。裏のルートを知悉《ちしつ》する黒社会（ヤクザ）も協力した。まるで映画のような話で、いかにも香港らしい。ノリがいい香港人は、面白そうな話には、損得抜きで絡んでしまう。その個性が発揮された計画だった。

思いがけず歴史の一端に触れ、香港への関心はますます強まった。一方、香港は返還を機に激動の時代に入った。返還直後のアジア通貨危機、二〇〇三年のSARS（重症急性呼吸器症候群）騒動、高まる反中感情による中港矛盾の表面化。だが人生は思うようにならないもので、返還当時は新聞社の福岡勤務で香港に行けるはずもなく、同僚が香港から伝える報道を忸怩《じくじ》たる思いで読んだ。二〇〇七年から二〇一〇年までの台北《タイペイ》勤務では香港が落ち着いていて台湾から取材に行くテーマがなく、二〇一四年の雨傘運動の時は東京本社で内勤デスク業。香港というテーマは、私の脇を通り過ぎていった。

†香港の生命力の源

そんなこともあり、二〇一六年に新聞社を退社し、真っ先に取材に向かったのは香港だ

警察批判するデモ隊（2019年７月）

った。最前線の人々と会って話を聞き、資料を読み込み、過去の経緯を頭に入れ、自分のセンサーを鍛え直すことが必要だった。毎年六月四日に行われる天安門事件の追悼イベント、二〇一六年の立法会選挙、二〇一七年の行政長官選挙と習近平《しゅうきんぺい》国家主席が訪問した香港返還二〇周年記念式典など、重要行事の度に香港を訪れた。二〇一九年の抗議デモも月に一度は現地を訪れて記事を書き、本書の筆を執るに至っている。

　このように個人的な体験を書いたのは、自分が香港問題について執筆する立ち位置をまず読者に知ってもらいたかったからだ。

　いま、香港を論じることは、とても難しい。香港をめぐる見解は、中国と香港の間でも、香港の内部でも、日本でも、世界でも、価値観が衝突し、深く分断されている。この状況で安易な両論併記に逃げてしまうと内容に迫力が乏しくなってしまう。外国人であっても、昨今の香港で起きている事態に対し、自らが依って立つ位置をはっきりさせることが重要だと私は考えている。

聖書の運び屋体験や留学中での「黄雀計画」との出会いにも関わることだが、香港の魅力、価値、生命力の源は、その「境界性」にあるというのが私の考えだ。

香港は、中国であって、完全な中国ではない。香港は、東洋であって、完全な東洋ではない。香港は、アジアであって、完全なアジアでもない。香港は、中華世界であって、完全な中華世界でもない。西洋的な制度や文化も生きているが、もちろん西洋でもない。香港は、冷戦時代から、東と西、社会主義と資本主義の境界に身を置いた。返還までは英国の一部だったが、完全な英国ではなかった。いまは中華人民共和国の一部ではあるが、香港特別行政区という名前で、中華人民共和国の最周縁部に位置している。

香港は中国南部を示す華南《かなん》の一部だが、「嶺南《れいなん》」という地理的概念にも含まれている。嶺南とは、現在の中国の広東、広西《こうせい》、海南島あたりを指し、歴史上は「百越の地」と呼ばれたところで、中原《ちゅうげん》や江蘇《こうそ》・浙江《せっこう》の中華文明の「外」というニュアンスや、ベトナムなど東南アジアにつながるイメージもある。中華の外と中の境界でもあるのだ。

境界の民であることが香港人社会には内包されている。香港の人々の名前の使い方は、東洋でもあり、西洋でもある二面性をよく現している。香港人はほとんど中国語名と英語名の二つを持っている。学校や友人、会社などの「公」の場では、英語名で呼び合うが、家族や親戚の間は中国語名を使う暗黙のルールがある。すべての香港人が英語が達者というわけではないが、英語名にはほとんどの人が抵抗ない。

香港がこのような「境界の都市」になったのは歴史と地理が与えた宿命であろう。境界であるがゆえに香港は多義的である。多義性を香港人は排除しない。毎朝マカロニの入ったスープを味わいながら、中国語の新聞にぎっしり書き込まれた英国由来の競馬の予想表とにらめっこし、広東語で大声で店員と掛け合いをしているのが香港人である。その多義性のどこに注視するかで、香港へのアプローチも変わってくる。

†国家安全法で損なわれるもの

香港のもう一つの特性は例外性だ。香港は常に中国において「例外」の地位を担ってきた。王朝の誕生以来、領土拡張を続けていた清朝が例外的に初めて海外に渡した場所、それが香港であった。天朝の権威を損なってしまうため、清朝は一時、民衆に対してその事実を秘匿《ひとく》していたとされる。英国にとっても香港は例外の地であった。香港は最後の段階で獲得した海外植民地の一つであるが、第二次大戦の終了後、英国がインド、ビルマ、マラヤなどの植民地を手放すなかで、例外として保ち続けた植民地だ。香港が返還されたときも、中国における例外のケースとして一国二制度に基づく「高度な自治」の方針によって独自の行政権を有し、世界貿易機関（ＷＴＯ）や国際通貨基金（ＩＭＦ）に国家扱いで加盟でき、オリンピックにも香港チームで参加する特別行政区になった。香港の価値は例外だからこそ生じるという認識のもと、例外扱いされてきたと逆説的に言えるだろう。

言語も同様である。中国本土及び台湾、シンガポールなどの中華圏で「国語」や「普通話」という名前で使用される標準中国語（北京語）の普及が香港ではみられない。中国語方言使用の地域では、家庭では方言、仕事先や学校、政府では標準中国語を用いる二重構造が多いが、香港では今日もなお広東語主流の社会である。返還後も広東語は生命力を失っていない。読み言葉のテレビは広東語だし、書き言葉の新聞や雑誌でも大衆向けの媒体には広東語表記が頻出し、香港以外の中国語話者は読んでも理解できない現象が起きる。

例外であるのは、香港が境界線に位置するからであり、例外であるがゆえに境界性を維持することができた。境界と例外という香港の特性は相互に作用しあっている。

香港は、あらゆるものが立ち寄り、過ぎ去り、また戻ってくるゲートウェイだ。外部の者にとっては中国へのゲートウェイであり、中国にとっては外部へのゲートウェイでもある。中国から銀や銅、苦力《クーリー》と呼ばれた労働者、情報など多くのものが香港を出口として外部に放出され、資金やノウハウ、技術などは香港経由で中国にもたらされた。

そんな香港の境界性や例外性の維持には、香港が極めて特殊な土地であるという認識が欠かせない。だが、いまの習近平体制は、香港の特殊性に対して総じて冷淡で、否定的に見える。そうした姿勢が近年の香港の混乱を作り出しているのではないか。その結果が、二〇一四年の雨傘運動であり、二〇一九年の抗議デモではないか。香港の特殊性を尊重しない中国の香港政策に修正がなければ香港情勢は改善しない。中国による香港の「中国化」は香港にも中国にもプラスにならない。これが私の香港問題への基本的感覚だ。特に二〇二〇年六月に中国の全国人民代表大会（全人代）で決定された香港の国家安全維持法（以下、国家安全法）は、香港の価値を損なう結果しか招かないだろう。香港は中国と多くの点で「異なる社会」であるという認識を出発点にすることが、香港問題解決の唯一の策だと考えるゆえに、本書は香港と中国はなぜここまで異なる社会であるのかを一冊かけて解き明かしていく本である。

†主役は人間の群れ

香港は絵になると冒頭に書いたが、香港ほど物語にしにくい場所もない。何しろ、香港には主役がいない。シンガポールのトーマス・ラッフルズ、台湾の李登輝《りとうき》、中国の鄧小平のような舞台回しになる指導者やヒーローが、英国時代から現在に至るまで、香港には現れなかった。香港の主役は、無名の膨大な人間の群れであり、多義的な香港は、語り手によって十人十色に変化し、一つの枠内に閉じ込めることは容易ではない。

そんな香港に対して『香港とは何か』をタイトルに掲げることは無謀な作業だと承知しつつ、香港に関する書物を世に問うのは、二〇一九年の抗議デモが世界に巨大なインパクトを与えたいまだからこそ、香港問題を本質から語るべきだという問題意識からだ。

本書では、この第一章が香港についての概論と執筆動機にあたる。第二章から第四章までは、二〇一九年の抗議デモに至った背景の分析を試みる。第五章で映画を通して香港の歴史を概観したあと、第六章から第八章までは「日本」「台湾」「中国」にとっての香港を考える。最終章の第九章で国家安全法の行方を含めていかなる希望が残されているか、香港の将来像を提示するところが本書の結論部分にあたる。

本書は、香港問題の概説書ではなく、香港の抗議デモをミクロ的に紹介する本でもない。そうした類書は複数刊行されており、それらの知識の積み上げのうえに私なりの「日本人に知ってほしい香港」を書くものになる。

用語については、中国と書いた場合は原則、香港は含まない。香港政府は香港特別行政区政府、中国政府は中華人民共和国政府、台湾政府は中華民国政府をそれぞれ指す。民主派は雨傘運動以前から存在した民主党などを指し、本土派は雨傘運動以降に誕生した「自決派（香港の自己決定権の確立を目指すグループ）」「独立派（香港独立を目指すグループ）」などを含んだ勢力を意味する。民主派と本土派を合わせたものをオール民主派とした。ここで言うオール民主派は本土派登場以前の民主派グループを総称するときに使ったオール民主派とは意味を異にしている。エスタブリッシュメントを意味する建制派と呼ばれる勢力は親中派と書く。

いちばん悩ましいのが、逃亡犯条例改正反対に端を発し、二〇一九年六月から半年に及ぶ抗議行動をどう表記するかだが「逃亡犯条例反対運動」「民主化運動」「デモ」「流水革命」などの呼称もしっくりこないので、現時点で最もコンセンサスが得やすそうなものとして「二〇一九年の抗議デモ」あるいは「抗議デモ」と表記することにしている。

第二章

香港アイデンティティと本土思想

†なぜ「香港人、頑張れ」なのか

二〇一九年の抗議デモで、私がどうしても気になったのは「香港人、頑張れ（香港人、加油）」あるいは「香港、頑張れ（香港、加油）」というスローガンの叫びだった。香港人が香港人を頑張れと励ます。香港人が香港を頑張れと励ます。何か普通ではない。ずっと昔から香港でそうしたスローガンが活発に語られていたかといえば、そうではないだろう。

一九八九年の天安門事件に対する毎年六月四日の追悼集会では「平反六四（天安門事件の名誉回復を）」が使われている。二〇一四年の雨傘運動では「我要真普選（真の普通選挙

五大訴求、缺一不可と書かれたポスター

を求める）」。どちらも、運動の目的がスローガンとなっていた。雨傘運動でも「香港（人）、頑張れ」はあったが、目立ちかたは二〇一九年にはるかに及ばない。

抗議デモは、当初は逃亡犯条例改正反対運動であり、「反送中（中国に私たちを送るな）」というスローガンはあったが、香港政府が改正を諦めても運動は続いたので「反送中」は次第にフェードアウトした。代わりに浮上したのが「五大訴求、缺一不可（五つの要求、一つも譲らない）」だった。

五大要求とは、逃亡犯条例改正案の完全撤回、市民の抗議行動を「暴動」とみなした見解の撤回、デモ参加者の逮捕及び起訴の中止、警察の過度な暴力への責任追及や独立調査委員会の設置、真の普通選挙の実現（六月末までは林鄭月娥《りんていげつが》行政長官の辞任）だ。実現した目標（改正案撤回）や雨傘運動の要求（真の普通選挙の実現）があると思えば、その他の三つはデモに関係している。五つすべてが一気に実現するとは、参加者もあまり信じていないようで、運動との合目的性は高くなかった。それよりも「香港（人）、

香港人加油（香港人頑張れ）の横断幕

頑張れ」が本質を示していると感じた。

私の見方では「香港（人）、頑張れ」は、彼らの「帰属」の確認の言葉だった。「私は香港人であり、中国人ではない、ここは香港であり、中国ではない」という主張であり、「香港に対する帰属」を自らに言い聞かせ、世界に伝えていたのではなかったか。

この帰属の感覚は、今の香港を理解するうえで重要である。

†香港人の誕生

昨今の香港では香港人の英語訳で「Hong Konger」という言葉が使われているが、もともとの「Hong Kong people」より香港への帰属を強調する意味が込められている。ただ、香港でいつから「香港人」という概念が生じたのかはとても難しい問題である。

香港史は中国からの人口流入と不可分である。香港発で世界に広がった料理に香辛料を効かせた「避風塘風（避難港風）」があるが、香港には台風や悪天候から船を守る避難港の役割があった。加えて、香港は常に中国から逃げ出す人間の「避難港」でもあったので、香港の人口は中国で何か大きな戦乱や混乱が起きる度に膨れあがった。人口は一八五一年の太平天国の乱で一〇万人に急増し、一九一一年の辛亥革命《しんがいかくめい》で六〇万人になり、日中戦争が起きると一六〇万人になった。日本占領時に六〇万人に減少したが、一九五〇年には国共内戦で二〇〇万人に戻り、大躍進と文化大革命で四〇〇万人を突破した。こうした巨大人口の移動はエグゾダス（民族大移動）と呼べるレベルの規模である。

流入者にとって、香港は海外雄飛、あるいは中国回帰までの仮住まいのはずだった。ところが、香港は一九八〇年代までに教育の整備、公共住宅の拡充、高度経済成長を経験し、中国と桁違いの豊かさを実現する。ベビーブーマーの香港生まれ、香港育ちという新中間層が次第に形成され、大陸の中国人とは異なる「香港人」意識の原型が生まれた。

そのタイミングで人々の心理を刺激したのは香港返還の中英交渉だった。一九七九年から八四年の中英共同声明まで続いた議論のなかで、香港人は自らの存在が将棋の駒のように扱われる危うい存在であると気づく。英国政府からも香港人が取得できる「ＢＮＯ」と呼ばれる英国海外市民旅券が英国での永住権を保証しないと決定された。香港人が返還交渉を通して理解したことは、香港が一つの運命共同体であり、その共同体がまるごと、英国から中国に、ラグビーボールのようにハンドオーバーされてしまう現実であった。

その頃から今日に至る香港人の心境を、香港屈指のジャーナリストである李《リ》怡《イー》に聞いたことがある。彼は「九十年代」など著名雑誌の編集長を務め、現在も八四歳ながら香港紙「蘋果日報（アップルデイリー）」などに連日文章を書き続けている。李怡によれば「多くの人が、一国二制度なんて信頼できないが、だからといってどうすればいいんだ、という感じだった。中国は大国で、英国も我々を捨てるというのだから、みにくい男（中国）に無理やり婚約させられた生娘のような気分だった」と冗談まじりに振り返った。

香港屈指のジャーナリスト李怡氏

多くの人が移民を選んだ。中英交渉が終わった翌年の一九八五年から一九九七年の返還まで、香港からは五〇万人以上が移民したとされる。当時の六〇〇〇万人口の一割近い流出だ。李怡は「世界中のあらゆる国がパスポートを売りにきた」と振り返る。カナダにもオーストラリアにも香港タウンができた。

一九八五年に行われた「香港社会政治価値観調査」という社会調査で「香港人」か「中国人」かの二者択一の問いに対し、香港人を選んだ割合は六割近くに達した。にもかかわらず、四五％の人が「機会があれば外国へ移住する」と表明している。この時点で、香港人意識はまだ、香港という場所への帰属感を伴っていないものだったと考えられる。同じ調査で多くの者が「中国文化に誇りを感じている」と回答しながら、大陸の中国人に親近感を抱かず、中華人民共和国に誇りを感じないと答えた。

文化的には中国人でも、共産党が支配する現実の中国との間でアイデンティティは分断されていた。香港への帰属意識も強くない。だからこそ、経済的繁栄の持続が不安視された返還を前に、元の生活を捨ててでも海外移民を決意したのである。

†テレサ・テンの愛国

いま、習近平は香港の人々に「愛国愛港（国を愛し、香港を愛す）」であれと求めている。だが、かつて香港は中国よりもずっと愛国にアグレッシブな場所であった。

香港の愛国運動で思い起こされるのは、一九七〇年代初頭、米軍から日本への沖縄返還に尖閣諸島が含まれていたことに端を発する「保釣運動《ほちょううんどう》」である。保釣とは「保衛釣魚台(島)」の略語だ。米国の台湾人留学生が最初に声を上げた運動は各地に広がり、香港で流血を伴った激しい運動となった。権威主義体制下にあった中国や台湾の両当局者は香港の先鋭な「愛国」が、自らの人民に飛び火しないか神経質になったものである。

香港の愛国運動は、その後、一九八九年の天安門事件で巨大な抗議のうねりを起こす。保釣運動の関係者の多くがこの抗議活動に合流し、リベラル左派的思想を持つ彼らは「反権威」や「民主」といった普遍的価値観で中国共産党を批判した。根本には、広義の中国人としての「愛国」があり、反共産党だが反中国ではない「香港的愛国」の現れだった。

その香港的愛国は、天安門事件の起きる前、返還工作のために乗り込んできた中国人には大きな戸惑いをもたらした。香港の中国出先組織であった「新華社香港支社」の支社長を務めた許家屯《きょかとん》は回顧録『香港回収工作』で、驚きを込めて書いている。

「香港赴任前に、香港の状況を説明してくれたほとんどの人は、香港同胞の圧倒的多数は祖国に戻ることを支持し、ごく少数の人だけが返還を望んでいない、と言っていた。しかし、香港に来てすぐに分かったのは、こうした見方は実際の状況と大きく隔たっているという現実だった。実際には、ただ表に出さないだけで大多数の人々が返還に反対し、むしろ反対の意思を公に表明する人のほうがごく少数に過ぎなかったのである」

「「愛国」ということに関しても、香港人は別の定義を持っていた。これも香港に来て初めて知った「新知識」だった。ある時、反共主義的傾向を持つ文化人と会う機会があった。彼らは突然「私たちも愛国主義者です」と主張しだした。しかし愛するのは「共産党の中国でも社会主義の中国でもなく、また国民党の中国でもない。われわれが愛するのは中華民族です」というのだった」

天安門事件への抗議は、香港人が愛国的だからこそ、中国が正しい道を歩んで欲しいという愛情の発露であった。皮肉なことに許家屯は天安門事件に理解を示し、党から追及を受け、米国へ逃れた。あるいは在任中に香港的愛国の洗礼を受けたからかもしれない。

天安門事件では、アジアの歌姫と呼ばれたテレサ・テン（鄧麗君）も抗議の声を上げた。中国の民主化を応援する野外コンサートに「民主万歳」と書かれたハチマキをつけてステージに上がり、歌を歌った。もともと香港の集会に参加する予定はなかったが、テレビを見ているうちにいてもたってもいられなくなり、香港島南部のスタンレー（赤柱）の自宅から、衝動的にハッピーバレー（跑馬地）のステージに駆けつけたという。

彼女は中国の民主化が実現するまでは中国へ行かないことを誓ったが、精神的なショックで戦車が迫ってくる夢を見たといい、心を病んで睡眠薬に頼るようになった。「私はチャイニーズ」と常に語っていたテレサ・テンは「愛国」だからこそ、中国の民主化を求め、政権を批判したのである。

†本土思想を生んだものは

香港の愛国運動は、一九九七年の返還以降、大きな転機を迎える。テレサ・テンの苦悩に象徴されるように、英国に代わって支配者となった中華人民共和国の存在が、中国の未来を憂いながら民主化を求める香港的愛国を摩耗させることになった。中国共産党の「愛国」は中央の体制に賛同する公定ナショナリズムだったからである。

香港では、親中派が新たな統治階層として登場した。彼らは従来の愛国運動と無関係だった経済界の人々や地域の名士たちであった。香港統治について中国は香港人による香港統治を意味する「港人治港」を掲げたが、実態は「商人治港」であった。商業的利益を第一に重視する経済人は共産党体制とも共存可能であると中国政府は判断し、香港基本法起草メンバーに加えられた。初代香港行政長官には船舶ビジネスを手がけ、中国とも関係の深い董建華《とうけんか》が選ばれた。

一方、弁護士出身の李柱銘《りちゆうめい》（マーティン・リー）や教育界出身の司徒華《しとか》らに代表される民主派は香港で最優秀の知性と目され、社会的影響力という意味では中心的存在でもありながら、香港統治体制の外に置かれた。中国と香港の両方で民主化を要求する彼らは、共産党からすれば、香港の安定勢力にはなり得ない人々だったからである。次第に民主派の香港的愛国は行き場を失ってしまう。中国の民主を求めても、香港の民主を求めても、成果が得られない袋小路に追い込まれた。

そうした流れのなかで、返還から一〇年ほどが経過した香港には、共産党の愛国であれ、民主派の香港的愛国であれ、「愛国」自体に期待しない思想が現れる。それが本土思想である。本土思想は香港を「本土（故郷）」とみなす。中国は彼らのルーツかもしれないが、愛するべき祖国ではないと認識する。その本土思想から誕生したのが本土派という政治勢力だった。本土派にとって、民主派の香港的愛国は絶対に実現しない中国の民主化を求める点がナンセンスであり、主戦場は香港に限定するべきだと考える。香港返還によって、共産党の愛国と民主派の愛国が和解不能になり、その狭間に、香港愛だけを追い求める本土派が芽生えたのである。

本土思想の理論的指導者とされる評論家の陳雲《ちんうん》は著書で、その核心を「香港本位、香港優先、香港第一、Forget China, Hong Kong comes first, comes first.」と論じた。

†再開発への反動

ただ、返還後の香港人は中国への信頼をすぐに大きくは失わなかった。むしろ、香港政府への評価が厳しく、中国政府に肯定的である時期が返還から一〇年ほど続いた。

香港大学民意研究計画の調査によれば、一九九七年の香港返還時は香港政府への信任度が五二・一％と高く、中国政府への信任度は三二・四％と低かったが、初代行政長官の董建華の人気が急落した二〇〇〇年から二〇〇二年には、香港政府への信任度は三割以下に落ち込み、逆に中国政府への信任度は四割前後を維持する逆転現象が起きていた。

今では想像しにくいが、中国政府は香港政府より香港人から信頼されていたのである。アジア通貨危機やSARSによる景気低迷を支えるため、中国が香港をサポートする役に徹し、その国家性を顕在化させていなかったことが関係したと見られる。ちなみに、二〇一九年は香港政府への信任度が三五・六％、中国政府への信任度が三二・八％と、いずれも最低レベルとなり、両政府の信頼が共に低迷する共倒れ現象が起きている。

香港でいつごろ本土思想が出現したのか正確に断定できる人はいないが、萌芽と見られるのは、二〇〇六年のスターフェリー埠頭保存運動だった。香港島の中環と九龍の尖沙咀を結ぶフェリーの埠頭が、湾岸道路を作るために取り壊されることになり、市民が反対運動を起こした。メディアも大きく取り上げ、再開発計画は棚上げされた。運動のなかで「集体回憶（集団記憶）」というコンセプトが生まれ、古き伝統を大切にするブームとなった。香港は開発による地価の高騰で財を増やす土地開発主体の経済である。だが、経済的利益を犠牲にしてでも香港の伝統を守ろうとする運動は、香港という土地への関心が人々の間で高まった証左だ。本土思想では土地への愛着は思想表現の一つとなる。

再開発への反動はその後も続いた。中環の嘉咸街にある「街市（公衆マーケット）」は、一〇〇年以上の歴史を持ち、雑然とした香港らしい市場の姿を残していて市民に愛用されていた。二〇〇七年に巨大な再開発計画が持ち上がったが、これも市民の反対で頓挫した。ほかにも、中環のクイーンズピアや中区警察署、湾仔街市など、再開発に対して次々と反対運動が起こり、地元市民に若者も加わって政府の開発計画にノーを突きつけた。二〇〇九年から二〇一〇年にかけて起きた高速鉄道立ち退き反対運動も、この系譜にある。

†D&G事件と反水貨運動

二〇一二年は、振り返るとターニングポイントだった。一連の再開発反対運動の底流に蓄積された本土思想のマグマが、別の形で「中国」という要素に対して噴出したのが、二〇一二年一月のドルチェ&ガッバーナ（D&G）事件だった。

香港の中心街・ネイザンロードに出店しているD&Gの前で写真を撮影した人が警備員から排除され、「買い物にきた中国人は写真を撮れるのに」と反発が広がった。店舗の撮影を嫌がるブランド店は多く、D&Gの警備員の強い反応が誤解を生んだ可能性もある。

重要なのは、香港市民の過敏な反応だった。情報がネットで広がると、店の前に集まって撮影を行う「D&G万人影相活動（一万人撮影運動）」が呼びかけられ、若者が数千人駆けつけたとされる。D&Gの営業に影響が起きたことは想像がつく。

それからすぐに「反水貨運動」が発生した。水貨とは、正規のルートを通さない商品のことで、個人輸入品や並行輸入品を指す。当時香港には、商品を大量購入し、ハンドキャリーで持ち帰って売りさばく中国人が現れていた。中国からの自由旅行が解禁されたあと急激に広がったビジネスで、購入品を抱えた中国人を彼らは「水貨客」と呼んだ。中国で食品不正問題が相次ぐと、水貨客の購入品に粉ミルク、薬、化粧品が含まれるようになり、香港で品不足を起こした。子育てに欠かせない粉ミルクの不足は香港人の怒りを生んだ。水貨客を取り囲んでは罵声を浴びせ、警察との衝突が起きた。

前出の李怡はD&G事件や反水貨運動に対する香港人の心情をこう説明する。

「中国人への差別ではないかという意見もあったが、私はいささか違うと思う。中国は中国、香港は香港。生活習慣も違うし、考え方も違う。これ以上、香港を掻き回さないでくれ、我々を放っておいてくれという香港人の叫びだった。本土派の誕生はここから始まった。本土派とは、中国の民生などどうなっても構わないが、香港には余計なことをしないで欲しい、香港をおかしくしないで欲しいと考える。そして抵抗すれば香港のことは何かが変えられると信じている。それが我々の世代とは違うところだ」

李怡によれば、従来の香港人は、お金もうけをやらせてもらうことが大事な「エコノミック・アニマル」であり、政府には逆らうべきではないと考えてきたが、本土派にはそうした常識は通用せず、そのことが表面化したのがこれらの問題だったという。

D&G事件と反水貨運動に共通する要素は「若者、ネット、非組織的」であった。彼らが攻撃したい対象に、実力行使で違法すれすれのハラスメントを仕掛ける。これは、その後の香港の抗議運動に継承されるスタイルになる。二〇一二年には反愛国教育の学生運動もあり、二年後の雨傘運動へマグマはたまり続けていった。

†香港アイデンティティ

昨今、香港では「香港アイデンティティ」が広がっていると理解されているが、香港人のアイデンティティ問題について考えることはやっかいな作業だ。

香港大学民意研究計画の世論調査で、香港人という自己定義は、返還後むしろ減少していた。二〇〇〇年代末ごろに増加へ転じ、年々、高まりを見せている。一方、「中国人」という回答は逆の動きを見せている。返還後、中国企業で管理職、幹部として活躍する香港人も多く、中国に対して前向きな心理で向き合っていた。中国も、香港人の持つ資本、技術、ノウハウを重視し、香港人には居心地のよい状態で、文化的な共通性が実利面から支えられる中港関係が構築されていた。香港人も「中国人」という自己定義に違和感はなく、経済成長を遂げる中国の勢いに誇りを持つ部分もあった。

だが、D&G事件に象徴される中港矛盾が顕在化し、中国側も次第に資本や技術を蓄積していくと、香港人にとって「中国人」でいることのメリットもモチベーションも薄れていったとの見方もできる。香港において、中国人留学生や中国移民が就業機会を奪う現象も起き、「上から下まで「中国」人に侵食されているという被害者意識、嫌悪感が急激に上昇してきたように見える」（村井寛志）ほど、中国との距離感が広がっていった。

香港の地位は、英国の領土ではあるが、中国も主権を主張していた。香港島と九龍は割譲だが、新界は租借という区別があり、香港人自身が香港をうまく定義できないのに、「香港人とは何か」と聞かれても、香港人自身が答えようのないところがあった。その曖昧な香港について、中英共同声明によって香港という一つの共同体が存在することが確認され、香港の人々は自分たちの運命が「香港大」の共同体として規定されていることを認識した。さらに、香港基本法によって成文化されて香港は名実ともに共同体となり、「香港人」と呼び合うことが誰の目にも疑いのないようになったと言えるだろう。

香港政治の若手研究者である方志恒（ブライアン・フォン）は、一九九七年の香港で起きたことは、共同体である香港が、中国から英国に手渡されるプロセスであったと指摘している。その共同体を担保するものは、香港の人々が自由意志で抱く香港アイデンティティであり、それは返還後も揺れながら形成のプロセスは止まっていない。

自らを「香港人」と考える人々の割合は一九九七年の香港返還前の五九・五%から、北京五輪が開催された二〇〇八年一時減少して四七・三%に落ちたものの、二〇一〇年ごろから再び増加に転じ、二〇一九年の抗議デモの前では七六・四%に到達している。自らを「中国人」と考える人々の比率は、一九九七年の三七・八%から、二〇〇八年には五一・九%に増えたものの、二〇一九年には二三・〇%に落ち込んでいる。特に顕著なのは一八歳から二九歳の若者世代の脱中国的動向で、二〇一九年調査ではわずか六・九%が「中国人」と自己認識するにとどまり、アイデンティティにおいては「香港人」に軍配が上がる形になっている。

一方で、アイデンティティ調査は政治動向に左右される傾向が強い。今後の中港関係の展開によっては香港人意識のトレンドも変わる可能性はゼロではない。だが、常識的に考えれば、一桁台まで落ちた中国人意識を回復するのは決して容易ではない。

香港アイデンティティに詳しい林泉忠《りんせんちゆう》・台湾中央研究院近代史研究所元副研究員は、戦後の香港共同体形成には次のような六つのプロセスがあったことを指摘している。

・第一段階：一九五〇年に中港国境が閉じられ、香港は次第に工業化を始めた
・第二段階：一九六〇年代中期は香港生まれの人口が多数を占め、テレビも放映され、ブルース・リー映画がヒットするなど香港共同体のソフトな形成期
・第三段階：一九八〇年代初頭は返還問題の議論が始まり、香港人アイデンティティが議論されるようになった
・第四段階：一九九七年以降、返還への恐れが消え、中国の経済成長もあって、中港融合が加速し、中国人意識が高まった
・第五段階：二〇〇八年以降、中国は民主を拒み、香港の普通選挙を認めず、北京への信任が揺らぎ、香港人アイデンティティが再び強まった。

林泉忠は、最後の第六段階として二〇一四年からの雨傘運動によって、香港の若者を中心に新しい本土主義が勃興し、「自主、自決、自救と独立建国」というアピールが生まれた、と述べている。本土主義と本土派の台頭は、巨大な衝撃を、一国二制度に基づく香港の統治体制に加えることになる。次の章では、三人の代表的な本土派の若者たちを通して、二〇一四年から二〇一九年にかけて、香港で何が起きたのかを詳しく見てみたい。

第三章　三人の若者——雨傘運動のあと

†「まさかこんな道を歩もうとは」

人はよく「一寸先は闇」というが、未来の人生はそう簡単に見通せるものではない。それでも、最近の香港人ほど、「人生、何が起きるかわからない」「まさかこんなことになるなんて」と心からのため息をつける資格がある人々もいないのではないか。

香港中文大学の副教授で、政治研究者の周保松《しゅうほしょう》は、日本で刊行された共著『香港雨傘運動と市民的不服従』のなかで、こんな言葉を書き残している。

「私の人生設計のなかで、こんな道を歩もうとは思いもしなかった」

周保松は香港の民主化運動の理論的なイデオローグで、日本メディアの取材を受けることも多い人物だが、雨傘運動での活動を理由に、二〇一四年一二月、香港警察に逮捕された。容疑は「違法集会」と「公務執行妨害」。容疑事実の是非はさておき、香港でエリートコースを歩んでいた学者がある日手錠をつながれて「こんな道を歩もうとは」という感想をつぶやく。このことが、近年の香港の状況をとてもよく物語っている。

二〇一四年の雨傘運動から二〇一九年の抗議デモまでの五年間で、運動に身を投じた人々の多くは周保松のように大学生や知識人だった。香港は学歴階層社会だ。かつて認可大学が香港大学、香港中文大学の二つしかなかったなかで大学に入ること自体が選ばれた人間の証明であった。学生たちはエリート予備軍であり、普通に卒業できれば、それなりに明るい未来が待っている。

日本の大学で香港について教えるクラスを持っている私は、学生に香港のデモに対する感想を時々問いかけた。リアクションペーパーに、こんな反応がよく書き込まれた。

「彼らと私たちでは状況が違いすぎるので想像できない」

こうした言葉に対して、私はこんな考え方を伝えた。

「彼らも二〇一四年の夏まで、あるいは二〇一九年の春まで、みんなと同じ、自分の将来について、漠然とした思いしか持っていないような、どこにでもいる普通のミレニアム世代の若者だった。君らに運動に参加しろと煽るつもりは全くないが、同世代の彼らが、人生を捨てるような闘いに身を投じている理由を、まずリアルに想像して欲しい」

運動の最前線に行けば、逮捕され、大学を辞めさせられるかもしれない。卒業できても企業は雇ってくれないだろう。人生を台無しにするリスクばかりである。香港政府や中国政府が要求に耳を傾ける可能性も低い。それでも催涙弾の雨が降る街へ、毎夜向かっていく。その心情の一片でも理解を試みて自分にあてはめて考えても損はない。

想像力が必要なのは、私のようにジャーナリズムに身を置き、香港を論じている人間も同様で、結局は、なぜ彼らは闘うのかをどこまで現場のレベルに降りていって想像できるかが香港報道では日々問われているという思いだった。

そんな問題意識をもとに、周庭《しゅうてい》（アグネス・チョウ）、梁天琦《りょうてんき》（エドワード・レオン）、游《ゆう》蕙禎《けいてい》（ヤウ・ワイチン）という、カリスマ的な若手活動家の三人に対し、私はインタビューを重ねて彼らの言葉を拾い集めた。香港に行けない間も、メディアを通して三人の言動を継続的に観察し、本章では彼らが過ごした五年間の体験を再現してみたい。

周庭が日本では圧倒的に有名であるが、香港においては、この三人はほぼ同様に広く知られている。三人とも二十代でありながら香港の新興政治勢力「本土派」のリーダー格であり、通常の年功序列の社会においてはあり得ない影響力を持った。香港の司法から運動への参画で起きた事件で有罪判決を受けたという共通項もある。

彼らの考え方は異なっているかもしれないが、運命に向き合い、傷つき、苦しみながら、諦めることはしなかった。それが、三人のもう一つの共通点である。濃密な時間の中で香港の若者が何を見ていたのか、三人の物語は教えてくれるはずである。

†日本でインフルエンサーになったアグネス

雨傘運動で「学民の女神」と呼ばれた周庭。日本では「民主の女神」と紹介されることも多いが、正確には、二〇一二年から反愛国教育に立ち上がった「学生運動の女神」である。周庭は、いま、日本で最も有名な香港人かもしれない。ツイッターのフォロワー四〇万人を誇り、テレビや新聞の取材も日常的に受け、そのコメントがニュースのヘッドラインになることもある。最近はYouTubeで日本語の発信も始めた。二〇一九年九月にはForbes JAPANから「時事問題や社会問題で、発信に議論を喚起できる」として、サッカーの本田圭佑《ほんだけいすけ》やプロ野球のダルビッシュ有、お笑い芸人の西野亮廣《にしのあきひろ》などと並んで「トップインフルエンサー50」にリストアップされた。香港人でアグネスといえば、一九七〇年代から歌手、タレントとして活躍したアグネス・チャン（陳美齢）を思い浮かべる人も世代によっては多いだろうが、いまやその知名度は元祖アグネスをしのぐほどである。

華やかな運動のスターのように思われがちだが、私にとって周庭のイメージは、デモの現場で、人混みから離れたところに背中を丸めてポツンと座ってぼんやりと考えごとをしたり、スマホをいじっていたりする姿である。どんな場でも自由自在に考えを語れる香港衆志（デモシスト）の仲間、黄之《こうし》鋒《ほう》（ジョシュア・ウォン）のようなタイプではない。

周庭（アグネス・チョウ）氏

「きのうは一人カラオケしてました。四時間も。香港のカラオケは日本の歌が少ないから」

池袋で約束した場所にちょっと遅れて現れた周庭は、歌いすぎで少しばかり枯れた声で、前の晩のカラオケ話を始めた。

「欅坂46って知ってますよね。彼女たちの歌には、反逆性があると思うんです。特に『不協和音』っていう歌はいいです」

その歌を聞いたことがない私が黙っていると、歌詞を教えてくれた。

「僕はｙｅｓと言わない　首を縦に振らない　まわりの誰もが頷いたとしても　ぼくはｙｅｓと言わない

絶対に沈黙しない　最後の最後まで抵抗し続ける」

歌詞をそらんじながら、周庭は続けた。

「去年、三〇時間、警察に拘束されました。そのときは拘置所でこの歌を歌っていました。今年の大晦日に紅白をみたけれど、センターの平手さんが出ていなくて心配なんです」

周庭とのインタビューで私は日本語を使う。大学時代に多少覚えた私の広東語はすっかり錆びついていて、周庭は、北京語はあまり得意ではなく、取材は私の母語の日本語になる。日本アニメで覚えた周庭の日本語は会うたびに上達し、政治用語も最近はお手のものだが、「めっちゃ」「なんだろう」というくだけた口語も自在に使う。彼女は香港バプテスト大学の学生だったが、卒業までに北京語の単位を取らなければならないことに悩んでいた。「日本語のほうが全然話しやすい」と苦笑いを浮かべた。

†クラスでは孤立

周庭は、家でアニメをみている方が、友達といるよりも、学校にいるよりも、ずっと楽しいと常に感じている、内気でオタク気質の強い女子だった。

「もともと一人でいるのが好きで、自分の考えを話すのにも抵抗があり、学校では、友人もいなくて、クラスで孤立していて、ひどい学生生活を送っていました。悪いデマを流されたりもしました。昔の嫌なことを思い出すので、大学も好きではありません」

香港は大学までは6・3・3制だが、初級中学・高等中学（日本の中学・高校）とも女子校で過ごしたが、ほとんど同級生と話すことはなかった。いまでも女子と話すのが苦手だという。孤独な学校生活で心の拠りどころが日本のポップカルチャーだった。

確かに、運動の現場でも、周庭はいつも誰かとしゃべっている訳ではない。カメラやマイクを向けられると、人柄が豹変するように堂々と物怖じせずに話す。小学校の頃から好きだった日本のアニメの登場人物になるような感じなのかもしれない。

同志である黄之鋒は流暢な英語で欧米メディアに対応し、周庭は日本メディアを受け持った。日本語使いとして取材に応じるようになったのは、偶然だった。

「雨傘運動に日本のメディアの記者さんが集まって、香港や欧米のメディアはジョシュア（黄之鋒）が対応していたのですが、彼が「日本が大好きな人がいるよ」といって私に担当を回しました。最初は「おはよう」しか自信をもって話せなかったのですが、取材で喋る機会が増えて、記者さんから日本語の政治用語も教わり、どんどん上達しました」

†同世代の若者たちに刺激

「まさか」の始まりは、学生運動に飛び込んだ二〇一二年だ。家にこもりがちの女子学生だったが、ネットサーフィンをしていると、学生運動組織「学民思潮」を紹介するページに行き着いた。学民思潮は愛国教育に反対する中高生のグループで、創立者は黄之鋒だった。衝撃を受けたのは、自分と同じ世代の若者たちがデモに参加していたことだ。

「アニメに夢中で学校の勉強しかしてないのにと恥ずかしくなりました。私は一人っ子で公務員の両親はまったく予想外のことだったと思います」

周庭は親から深い愛情を注がれて育った。家にこもりがちで心配していた一人娘が、突然、反政府デモに参加するという。打ち明けると両親は反対した。周庭の家庭は、香港の標準的な中産階級で、民主派の支持者だが、娘自身が運動に参加するとなると話は別だ。夜中までかかってなんとか説得した。それでも「父など、私が参加する集会に来て遠くから見守って、夜の一一時ごろに終わると一緒に家に帰ることがしばしばでした」という。

周庭は、雨傘運動のときも毎日、占拠現場に泊まり込んだ。

「新しい事態がいつ起きるかわからない。仲間でもめることもある。毎日会議を開いていました。一週間に一度ぐらい、三、四時間だけ家に帰って着替えたりシャワーを浴びたり。毎日しんどかった。でも、大きな目的があって頑張れたんだと思う」

雨傘運動の期間中、中国の人民解放軍がやってくるという噂が何度も現場に流れて、緊張が広がった。噂は小さな香港社会であっという間に広がる。

ある日突然、周庭に、父親から電話がかかった。「お前、いますぐ空港へ行け」。声が緊迫していた。噂が、父親のところにも届いたのだ。

「すごく怖い口調でした。母親には、もう運動を辞めなさいと言われました。いままで見たことがない両親の姿でした」

家族会議を開いた。それまで担当していたスポークス・パーソンは降りることにした。運動を続けるためには仕方なかった。

「私たちは、人民解放軍がきたときどうするか、逮捕されたときどうするか、いつも話し合っていました。なんでも準備がないとだめでしょ。逮捕に備えて、仲間の間で名前や身分証番号などの資料を残していました。現場には来られないけれど、一緒に戦っているサポートチームがいつでも弁護士に連絡をする体制を作っていたんです。」

立ち上がった少年少女たちは、大人が思っているよりはるかに成熟していた。

†梁天琦というカリスマ

香港の「独立派」を象徴する一人である梁天琦は、雨傘運動で活躍した若者のなかで、個性としてのインパクトの強さが頭ひとつ分、抜けている。

周庭よりも五歳年上の梁天琦は、二〇一九年の抗議デモには一切参加していない。刑務所の中にいたからだ。ところが、彼が雨傘運動で使い始めたスローガン「光復香港、時代革命（香港を取り戻せ、革命の時代だ）」が、抗議デモで最大のスローガンになった。

革命が何を意味するのか、誰も正確には答えられず、解釈もありとあらゆるものがある。この言葉は、すでに梁天琦の手を離れ、香港人の精神の一部になったとも言えるだろう。刑務所にいたことでむしろ梁天琦のカリスマ性は強まり、デモに参加している若者たちの間では「梁天琦精神」という言葉すら生まれた。

梁天琦は、そこにいるだけで、自然とリーダーになるタイプの人間だった。香港生まれではない。両親の出身は新型コロナウイルスで有名になった中国の武漢。梁天琦が生まれ、すぐに香港に移住した。父親は中学の歴史教師で、子供の頃から歴史を父親から教わった。スポーツも得意で、最難関の香港大学に入学してからは哲学や政治を学び、サッカーや陸上、特にラクロスに打ち込んだ。

梁天琦を主役とするドキュメンタリー映画「地厚天高（Lost in the Fumes）」によれば、怪我でラクロスから離れることになり、一時は何をやっていいかわからなくなったため、うつ病の治療を受けたこともある。香港では愛国教育問題などで若者の不満が高まり、梁天琦も政治意識を目覚めさせ、二〇一四年の雨傘運動にぶつかった。

梁天琦の名前は雨傘運動の翌々年、九龍・旺角で起きた「旺角騒乱」で広く知られるようになった。旺角では多くの露天商が夜に店を出し、香港名物の一つにも数えられる。その旺角で露天商の規制を強めた政府に、本土派の若者たちが抵抗した。梁天琦らのグループはその先頭で警官隊と衝突し、歩道の煉瓦を投げたり、ゴミ箱に火をつけたりしたとされる。二〇一九年の抗議デモでは日常になった光景であるが、当時は社会に衝撃を与え、民主派からも批判の声が上がった。

逮捕者も多数出した。親中派メディアは「旺角暴乱」とネガティブに呼び、本土派の若者たちは「魚蛋革命（Fishball Revolution）」と称えた。「魚蛋」は、屋台で売られる香港名物の魚肉の串団子煮のことで、香港人のソウルフードでもある。

梁天琦（エドワード・レオン）氏

梁天琦は二〇一七年、暴動罪、扇動罪、警官襲撃罪で起訴され、翌年早々に審理が始まることになっていた。

†長期の懲役をどう受け止めるか

梁天琦には前々から会いたいと思っていたが、旺角騒乱のあと、海外に長くいたので、二〇一七年の夏にようやくアポイントが取れた。面会の場所はビクトリアハーバーが見渡せるホテルのラウンジで、彼が入ってくると店員が彼の顔をみて振り返った。

「あなたはいま刑事被告人ですが、実刑判決が出ると思いますか」という質問にも、梁天琦は真っ直ぐな目で私をみて、「必ず出ると思います」と答えた。この若者には、ガラスのような繊細さと、自分の運命を直視する素直さが同居している。

「主任弁護士からは七年から九年ではないかと言われました。まるで自由を失う日までのカウントダウンです。弁護士のいうように七年だとしたら香港は二〇二三年です。そのとき、香港はどんな社会になっているのか。世界はどうなっているのか。香港でフェイスブックやインスタグラムはまだ使っているのか。まったくわかりません。七年前と今では、やはりまったく違っているのですから」

梁天琦は、まるで台風のように香港政界を席巻した。旺角事件後、二〇一六年二月の立法会（議会）の補欠選挙（新界東選挙区）に出馬した。一つのポストを親中派と民主派が争う構図で、勝利どころか、法定得票すら危ぶまれるスタートだった。結果は落選したが、一五％の得票を獲得する。香港は中選挙区制なので、普通の選挙なら当選できる力を示した。

落選後のコメントでも、梁天琦は稀有壮大なところを見せた。

「メディアは自分たちを民主派と報じるが、我々は民主派ではなく、本土派です。本土派は今回、団結できる力を世の中に示しました。これからは、建制派（親中派）、民主派、本土派の「三つ巴」の情勢に香港を変えていくんです」

同年九月に予定された正規の立法会選挙へも同じ新界東選挙区で立候補を表明した。前途洋々に見えた梁天琦の前に立ちはだかったのはＤＱ（disqualification、失格）の壁だった。

ＤＱとは、香港の反対派に対して、香港政府などが法律を駆使して彼らの政治参加の資格を剝奪していくことを指す。選挙直前、香港選挙管理委員会は、候補者に対して、立候補申請書に「確認書」を新たに付帯し、「香港基本法を擁護する」「香港は中華人民共和国の一部分である」などを認めることを要求した。

梁天琦は制度無効の訴えを起こしたが、裁判所は認めなかった。最後は「目的は手段よりも重要だ」として確認書に署名したが、それでも立候補を認められなかった。梁天琦のＤＱは、補欠選挙での予想外の善戦に驚いた香港政府が、なりふり構わぬ当選阻止に動いたと目された。その後、香港で吹き荒れたＤＱの嵐は、強引で恣意的な法運用も目立ち、香港の「最後の砦」と目された司法の独立の危機を印象付けた。筆者が香港で意見交換した多くの司法関係者の間でもＤＱには行き過ぎを指摘する声が多く、合法活動を見限った若者が実力行使型の運動へ傾く一因となった。

†見識を広げる旅

立候補を阻まれた梁天琦は、同じ本土派で独立色の強い政党「青年新政」のリーダーである梁頌恆《りょうしょうこう》（バッジョ・レオン）に新界東選挙区の候補を譲って応援に回った。梁頌恆の当選を見届けると、梁天琦は旅に出る。裁判が始まれば、香港に留まらなければならない。見識を広げるチャンスだと考えた。英国、米国など、香港とかかわりのある国々に滞在し、政策決定者やシンクタンクの研究者たちと議論を重ねた。だが、聞かされる言葉は「香港は小さすぎる」「中国に早晩のみ込まれる趨勢《すうせい》は止められない」といった悲観的な話ばかりだった。特に、EU離脱を決めた英国は中国経済が命綱になるという感覚が強かった。「人民元の前では、誰もが頭を垂れている」。梁天琦は、そんな風に吐き捨てた。

海外への逃亡という選択肢もあった。その問いにも、真正面から答えた。彼は常に隠そうとしない。そこが人々を引きつけるのだろう。

「多くの人から言われましたよ。ほぼ全員、香港に戻るのは馬鹿げていると。七年も刑務所にいたらみんなあなたのことを忘れちゃいます。それより安全な場所にいて、英語を使って全世界に香港のことを伝えていくのがいいと。それも一理あります。毎日、毎日、どうしたらいいのか考えています。でもこのことはまだ書かないでください」

裁判を受け入れるか、逃亡するか。心は揺れていたようだった。香港に戻れば長期刑が確実に待っている。逃げれば、天安門の中国人学生たちのように一生、流浪の旅となる人生を送ることになる。「決めていないのですね、まだ」と念押しすると、彼は語り始めた。

「いまは、香港に留まりたいと思っています。ここが好きなのです。ここには私の好きなものがたくさんあります。コーヒーショップ（茶餐廳）も、香港フードも。この場所が私の家なのです。私は一歳のときに香港にやってきて、自分がこの土地につながっていると感じて生きてきました。香港は文明的な自由港で、法治があって、民主に一歩ずつ進んでいくという教えを受けてきた。でも今の香港の民主がどこに向かうのかまったくわからない。自分の家が今後どうなるのか心配なのです」

この言葉を聞いて、梁天琦は、長期刑を覚悟で、歯を食いしばって香港に止まるのだろうと思った。判決についてはほぼ絶望しているにもかかわらず。

「政府、立法、司法が独立していて欲しいと期待していますが、今の香港では三権分立は存在していません。過去、北京の高官たちは習近平も含めて、香港は「三権合作」だと言っていました。我々は悪いジョークとしか受け止めていませんでしたが、これはジョークでもなんでもなく、連中は本気だったのです」

故郷と任じる香港の象徴、ビクトリアハーバーに時折目をやりながら、淡々と喋っていたが、両親のことに触れた時、表情が暗くなった。海外から戻ると、「お前は本当に刑務所に入るのか」と父親が聞いてきたそうだ。

「そうだよ、友人はみんな刑務所入っている」

「二年とか三年ぐらいか」

父親の問いに梁天琦は口をつぐんでしまった。「恐ろしくて七年とか九年とは、親には言えなかった。いまでもなんと言えばいいのかわかりません。私のような例は多いんです。判決が出てもニュースにならない限り親に黙っているメンバーもいます」

†大きな目のもう一人の女神

その梁天琦は「本土民主前線」という政党を立ち上げていた。ここは前出の「青年新政」という別の本土派政党と協力関係にあった。その青年新政に所属した游蕙禎もまた、雨傘運動後の香港政治の台風の目になった一人である。

周庭が「学民の女神」ならば、游蕙禎は「滅鼠《めつそ》女神」と呼ばれた。彼女が対決した選挙区の親中派議員のあだ名が「鼠」だったからだ。「ネズミ退治の女神」ということになろう。また游蕙禎は、中国を批判するときの鋭い言論でも知られた。

二〇一七年、最初に彼女に会ったのは香港と広州を結ぶ九広鉄道の起点にあたる紅磡駅《こうかんえき》前だった。駅の向かいに香港スタジアムがある。台湾の人気バンド「メイデイ」のコンサートが開催される日で、立法会選挙の街頭演説中の游蕙禎に、会場に向かう若者が次々と手を差し出して握手を求めていて、人気があることをうかがわせた。

游蕙禎（ヤウ・ワイチン）氏

演説が終わって一緒に喫茶店に向かう。外国メディアの取材は初めてだという。二〇一五年の区議会選挙で、あと少しで親中派候補に勝てた善戦を果たした。彼女の立候補は梁天琦と違ってＤＱ（失格）にならず認められた。主張自体は梁天琦と変わらないが、梁天琦と違って游蕙禎は当選可能性が低いと香港政府がみなしていたからだろう。

大きな目をした女子高校生のような風貌で、立法会のような大きな選挙で勝負ができるのか、正直疑問を持った。このときは二五歳。香港の嶺南大学《れいなんだいがく》を卒業し、企業で働いていたが、雨傘運動への参加で人生が変わり、「青年新政」から政治の世界に入った。

最初に驚いたのは、北京語が上手いことだった。大学では中国文学を学んだ。「本土派」の人物のイメージに合わないが、話の中身は本土派そのものだった。

「私は香港で生まれ、香港は私の土地です。外来の政権（中国）によって、香港は悪い方向に向かいつつあります。私たちには、香港の未来に対する責任があります。本土派は病気に対する抗体です。病気のとき、人間の体内に抗体が生まれ、私たちを守ろうとします。香港はいま中国の間違った政策のせいで病んでおり、その抗体が本土派なのです」

ウイルスが中国、抗体が自分たちという例えはわかりやすい。

「中国政府が香港を抑圧する行動を取れば取るほど、香港人民の反抗の力は強くなります。自分の土地を守りたい。その思いを抑圧することはできません。今日の香港の状態は、中国のやりかたが失敗したことの証明でもあります」

彼女は「私は習近平に何の感情もありません」と言った。以前、香港の政治人物は、立場はどうあれ、中国政治に対する関心がないとは言い切らないものだった。

「香港人にとって、中国のトップは単なるポスト以外の意味がないからです。胡錦濤《こきんとう》や江《こう》沢民《たくみん》との違いについても考えたことがないのです。香港の主権が英国から中国に移ってから、共産党は香港の内政に関与し、香港の制度を破壊してきました。それが中国の指導者への印象です。ですから指導者が誰かという点は、重要ではありません。なぜなら、共産党は約束を守らず、信用できない人々の集まりだからです」

この言葉は彼ら彼女ら本土派の特徴をよく示している。中国や中国政治に興味がないのである。その点は梁天琦も周庭も同じである。これは皮肉である。彼ら本土派は、返還後の教育によって、香港の歴史上最も北京語を使いこなす若者であるからだ。

印象深かったのは、彼女の目の輝きであった。こういう若者には、日本で会うことは滅多になくなった。日本新党が生まれた一九九〇年代の前半に地方取材の最前線で出会った若い候補者たちを思い出した。

評判では、善戦はしても勝利は難しいという見方が支配的だった。日本に戻って記事を書くと、大きな反響があった。その後、投票日前日にもう一度香港に飛んだ。選挙最終日の夜、街頭演説の場で游蕙禎は私の姿を見ると、こう言った。

「日本の知り合いから記事を読んだと言われたのよ」

わずか四〇〇票差で游蕙禎は勝利した。多くの番狂わせが起きた二〇一六年の立法会選挙のなかでも、最大の番狂わせが彼女の当選だったかもしれない。

この立法会選挙で、本土派は合計六人を立法会に送り込んだ。大勝利だった。周庭が所属するデモシストの羅《ら》冠聰《かんそう》（ネイサン・ロー）も香港島の選挙区で最高得票で勝利をつかんだ。梁天琦のかわりに出馬した青年新政の梁頌恆も当選した。時代が動いた日となった。だが、本当の意味での本土派の苦悩も、この日から始まった。

もし香港が将来独立をすることになれば、あのシーンはその始まりの一コマとして流され続けるだろう。私は画面を見た時、震えが走った。当選後の議会宣誓式の日、「Hong Kong is not China」の青い旗を、游蕙禎は、バサっと宣誓台に被せたのだ。

その前に宣誓した同じ青年新政の梁頌恆は、旗を背中に被り、祈りを捧げているように見えた。「香港は中国ではない」が彼らにとっては信仰であるかのように。この行動をいつから計画していたのか游蕙禎に尋ねると、肩透かしのような答えだった。

「あの旗ね、実は、とっさに梁頌恆から借りたのよ、宣誓の一五分前に、彼に言ったの。ねえ、私にも貸してよって。彼はもともと計画していたのね。私にとっても「Hong Kong is not China」という言葉はとても重要な意味がある。だから借りることにしたの」

香港社会だけでなく、おそらく北京も慄然《りつぜん》とさせた宣誓事件の裏話にしてはあっけない。ただ、游蕙禎も何も考えずにあんなことをしたわけではない。

「宣誓を事前に読んだら、ひどい内容にびっくりしたんです。香港人のためのはずの法律が、そうなっていないことに気づいたのよ。だから、本来の法律の趣旨に戻さないといけないと考えて、宣誓文を変えて読み上げたの。過去にも同じようなことをしている議員もいた。長毛《ちょうもう》（著名な民主派議員の梁國雄《りょうこくゆう》のあだ名）のように。今回も大丈夫だと思った。香港はまだ法律に守られた土地だと信じていたのが甘かったのね」

その後に起きたことは、宣誓無効の認定による立法会からの追放、そして刑事訴追だった。刑事訴追の方は、宣誓後に議会に入ろうとして押し問答となり、警備員に暴力をふるったという罪状だった。奇跡の当選から、一気に刑事被告人への転落である。

「後悔はしていない？」と尋ねると、「私は正しい選択をした。議会に残っていても、同じことが起きた。もっとひどいことになっていたかも。彼らは私のような人物を議会におきたくない。だから同じことになったはずね」と強く否定した。

当時、青年新政と共闘して立法会選挙を戦った梁天琦は、この「Hong Kong is not China」の問題を聞いて、批判をしたとも伝えられる。必死に応援して自分の代わりに議会に送り込んだ二人がたった在職一か月で議員の椅子を失い、落胆したのかもしれない。

†相次ぐ失格

デモシストの羅冠聰も、議会宣誓の読み上げの不備を理由に失格にされてしまった。その羅冠聰や黄之鋒と一緒に、周庭は二〇一七年六月、返還二〇周年を記念した習近平の香港訪問を控え、中環にある返還記念公園のモニュメントを占拠し、警察に逮捕された。周庭は北角（ノースポイント）の拘置所に収監された。

香港で容疑者は最大四八時間まで警察に拘留される。釈放されたのは逮捕から三一時間後だった。拘置所の部屋は四人部屋で、日本の歌を歌っているか、眠っているかして過ごした。ベッドはなく、長い椅子がいくつか置いてあった。拘置所の外では支援者が応援の声を上げていたらしいが「まったく聞こえなかった」という。

周庭が拘置所にいる仲間へ声援を送る側に回ったのは、黄之鋒、羅冠聰らが雨傘運動での行動を理由に逮捕されたときだ。拘置所の門の外の人だかりから少し離れた場所で、周庭は座ってスマホに見入っていた。インタビューでそう伝えると「見られちゃったんですね。ゲームしていました」とバツが悪そうに笑った。

二〇一八年、周庭は初めて立法会の選挙に出る決意をする。羅冠聰のDQで空席となった香港島選挙区の補選があったからだ。しかし、ここにもDQの影が忍び寄った。「香港独立を支持しない」という確認書を求められた。周庭は香港独立を主張したことはない。デモシストは本土派諸勢力のなかで民主派に近い比較的温和な立場で、一国二制度を真っ向からは否定せずに「民主自決」を唱えてきた。

立候補の届けを出したが、資格取り消しが選挙委員会から通知された。選挙委員会が示した取り消しの理由は、デモシストが主張する「民主自決」の綱領は一国二制度の原則と食い違っている、というものだった。だが、デモシストの羅冠聰は二〇一六年の立法会選挙で出馬し、当選している。過去の判断との整合性を無視した強引な判断だった。

東京で会った時、周庭はこのDQについて、こんな風に語っている。

「香港はいま、めっちゃばかばかしいことばかり起きています。香港の一国二制度はダメになっていて、「一・五制度」みたいです。市民の中では、もうだめ、無理という感じが強くなっています。雨傘運動みたいな大きな運動をやっても政府は動じなかった。じゃあどうすればいいのか、わからないという気持ちもありますね。本当に悔しいです。日本には住民投票の制度がありますね。本当にうらやましい。雨傘運動のときに香港の住民投票があったら状況は全然違っていました。でも諦めたら終わりになってしまう。でも私の好きな歌『不協和音』の「絶対に沈黙しない、最後の最後まで」の決意で闘っていきます」

その後、周庭は二〇一九年六月の抗議行動で警察本部のデモ隊の包囲において群衆を扇動した罪で逮捕・起訴された。私も取材で六月の警察包囲の現場にいたが、彼女は群衆の中の一人で演説なども行っておらず、本人が「一参加者」だったと述べている通り、「扇動」したとはとても思えない。現在は公判継続中のため大好きな日本を訪れることもできない。

†刑事訴追と実刑のダブルパンチ

游蕙禎は議員失格のあと、刑事訴追というダブルパンチを受けていた。立法会での宣誓事件で起訴され、裁判で彼女は罪を認め、短い刑期を勝ち取る戦略をとった。游蕙禎の両親はもともと運動には賛成ではなく、心配しながら見守っている形だった。

ある時、母親が聞いてきた。「どうしてあなたは中国人を侮辱するの？」

游蕙禎はこう答えた。「私たちじゃなくて、彼らが香港人を侮辱したのよ」

両親と口論になることも珍しくなかった。議員資格を失効させられたときには、両親にこう説明した。「私が彼らを侮辱するから追い出されたんじゃないの。本当の反対派だから追い出されたの」。それから両親は何か言うことはなくなった。

しかし、親中メディアが彼女を追い回し、自宅まで張り込むようになった。隠しカメラで撮られた母親の写真を載せられた。両親とも公務員で打撃は大きかった。「両親に迷惑をかけてしまった。彼らを守らないといけない」。自宅に警備員を雇ったこともある。起訴されると両親は言った。「刑務所に入っても、私たちは面会に行けないよ。記者がいるから」。その言葉に、深く心が痛んだ。

香港において、運動への参加をめぐる親子関係の摩擦や断絶は多くの家庭で起きている。

一般に、香港の若者の祖父母の世代は中国での生活経験もあり、両親も祖父母の影響を受けているので、游蕙禎など返還前後に生まれた世代の冷めた対中観とは相容れない。両親と政治的なスタンスが異なると対立や家出を招くことも珍しくない。抗議デモでは、家族に気づかれないように、家の外に仲間たちと共有スペースを借り、普通の格好からマスクと黒シャツのフル装備（full gear）に着替えて抗議現場に向かう若者も少なくなかった。

游蕙禎は裁判で懲役四週間の有罪判決を受けた。収監先は四人部屋で游蕙禎以外は密航やビザの失効で収監されている外国人だった。英語で会話していたが、刑務所にいる理由は言わなかった。自分の判決に関する新聞も回し読みされていたが、誰も気づかなかった。

刑務所では本のカバーを作った。香港の図書館は、本の劣化を防ぐため、分厚い紙のカバーで本を保護している。掃除や料理の当番もあり、四週間はあっという間だった。

出獄後、自傷行為を起こしたことがあったと、游蕙禎は語り出した。

「半年前に。両親も知らないこと。病院にも行かなかったから報道もされなかった」「ここに傷があるでしょう?」

游蕙禎は左腕を見せた。うっすらと傷がついている。

「私は料理が好きで、あのときも料理を作っていて、どうしてか急に、キッチンで自分の手を切り落としたくなったのね。死んでしまえばいいと思った。私がやりたいことは一生成し遂げられないと悲観的になっていた。私たち香港にとって大切なのは独立した主権。それを人々が手に入れられる未来を作ることが私の希望だった。主権がないなんて人間と呼べないのだから。飼われている動物のようなもの。みんな、中国がつり上げた地価のために、小さな家にしか住めなくて、それでもいいと思わせられているのよね」

腕を切ったところで、恋人に止められたという。恋人からは、君は病んでいる、その傷に向き合うべきだと諫められた。

「君の心は、ずっとあの問題（DQと収監）から離れていない。どの国に遊びに行っても忘れられない。だからこんなことをするんだって彼に怒られた。私は多くの人に、あの問題はもう忘れた。元気になった。なんともないって言ってきたけど、自分を騙しているだけだった。自分が傷つけられ、心が病んでいると認めたくはなかったんだと思う」

それから游蕙禎はメディアや政治とは距離を置き、頻繁に旅行に出かけるようにしたという。フェイスブックやインスタグラムに上げる写真は大抵、旅の写真である。

「私には自分を癒すための時間が必要だった。それに、あの逃亡犯条例が通ってしまったら、私は中国に連行されるかもしれない。香港独立を唱えたテロリストだとかいえば、そんなの簡単よね。だから今のうちに人生を楽しまないと」

「自殺が成功しなくてよかった」。そう伝えると、「そうだったら今日取材ができなかった」

彼女は「成功していたら、また新聞に載ってたわ」と笑顔をみせた。

†「香港は中国ではない」が共通

理想の実現に向けた方法論や生き方に違いはあっても、香港の未来や中国に対する考え方については、三人ともそれほど大きな違いはない。これが時代の力なのだろう。

二〇一九年五月、香港で久しぶりに会った周庭はまた少し遅れて現れた。「少し痩せた?」と尋ねると、「顔が小さくなるメイクをしているからかな」と嬉しそうに笑った。遅刻には理由があった。逃亡犯条例改正についてデモシストの会議が長引いたのだという。周庭は、違法デモを先導した疑いで起訴されていたので、日本へ渡航が制限されていた。「日本に行きたい。抹茶スイーツのパフェが食べたい。カラオケもめっちゃしたい」と文句たらたらだった。ふと思いついて、周庭に、自分は何人《なにじん》だと思うか尋ねてみた。

「中国人という言葉が何を意味するのかという問題があって、中国人という言葉はナショナリズムに利用されてしまいます。中国人イコール中華人民共和国の国民ということになってしまうからです。何人ですかと聞かれたら、香港人ですと言いますし、場合によっては、華人であると言います。中国人とは言いません。でも、華人という言葉には「Ethnically Chinese」という意味が入っています」

このあたりは柔軟にも見えるが、「民主自決」については譲らない。

「香港人が自ら香港人の未来を決める、というのが、私の考えであり、デモシストの主張です。二〇四七年に香港は一国二制度の「五〇年不変」のタイムリミットを迎えます。その時、香港人は自分たちで将来を決めたい。中国共産党が決めるのではなく。香港独立を主張する人たちが発言する権利も守るべきだ、というのが私の考えです」

梁天琦に本土派という自らの定義について、質問をした。

「我々は中国の植民地です。英国時代もそうでした。自決権を持っていませんでした。ならば、いまこの権利を求めて何がいけないのですか。香港の現状は五〇年しか保証されていません。だからこそいま、二〇四七年から先の未来を勝ち取って、前途を確かなものにしたかった。でも、我々がどのような主張をしても、中国政府からすれば造反者で、刑務所行きになるのです。たとえ平和的、理性的、非暴力で抗議しても、少なくとも半年以上、あるいは一年の実刑判決を受けます。私以外にも多くの若者が裁判の順番を待っています。この状況で中国人であると思えるはずがない。だから本土派が増えるのです」

游蕙禎は中国人に対してはもう少しストレートだ。

「学校であなたは中国人ですと教わりましたが、大人になってから自分が中国人だと考えたことはありません。共産党の人たちは約束を守らない信用できない人々の集まりです。

香港のトップも、中国の「小丑（操り人形）」に過ぎません。今日の香港の状態は、中国のやりかたが失敗したためで、香港人の主権は香港人の手に握られているべきです。香港人が自分の未来を自分たちで選択できる日まで、私は私のやり方で闘います」

†変わったカリスマ

海外から香港に戻って、梁天琦は少し変わった。かつてのような、自分だけが正しい、といった態度は取らなくなったと周囲は感じた。民主派を敵視し、独立を訴えた梁天琦を、民主派は「革命という人肉饅頭を食べさせようとしている」と攻撃したこともあった。同じ本土派同士の連携も少なかった。しかし、私と会う前日に、梁天琦はデモシストの黄之鋒、羅冠聰らと食事を共にし、一緒にラジオ番組にも出演した。梁天琦は、この食事会について「非現実的、というか、超現実的な出来事です」と笑いながら語った。「話してみると同じことを考えていることがわかった」。何か新しい視界が開けた気がした。

「ずっと考えていたのです。我々の力だけで変えられることは限られていると。選挙で議席を獲得するだけでは、社会を変えられるわけではないのです」

収監を前に、梁天琦は政治家としての懐の広さを身につけようとしているように見えた。妥協ではなく、もっと多くの人の力を結集し、世の中を変えるための近道を見つけようとしていたようだった。彼が現場から消えてしまうのはもったいないと思った。

変化のきっかけは、米ボストンで聴講した授業にあった。「社会の中には多くの考え方が存在し、自分が同意しなくても、彼らは主張を続ける。あなたが一つの主張をすれば、賛成と反対は必ず出てくる。喧嘩のような議論になっても、相手は賛同してくれない。同意してくれない人々から同意を勝ち取る方法を覚えるべきだ」。講演はそんな内容だった。雨傘運動以来、本土派と民主派の間に起きた無数の口論、対立を思い起こしたという。

「我々本土派と民主派の間には分裂がありました。我々は暴力的だと民主派に批判され、私たちも負けまいと民主派を批判したのです。確かに私たちはラディカルでした。民主派が私たちを仲間外れにしようとするなら、民主派とは付き合わないようにしました。でも、お互いに批判し合うだけではまったく意味がない。仲間内で褒め合うこともそうです。だから、私はもう結局身内で固まるFacebookはやりません」

†分かれ道の本土派

香港で若者たちの台頭は確かにあまりに急激だった。それに香港人は群れるのが嫌いだ。批判力は強いが、団結力は弱い。だが、力を合わせないと、戦えない相手もいる。

「いまが分かれ道で、過去の意見の違いや異なる政治目標はまったく重要ではないのです。

我々が二〇一四年当時どうして行動を取ろうとしたのかを、我々は思い出さないといけない。二〇一四年九月二八日、雨傘運動が起きたとき、金鐘（アドミラルティ）に向かって走り出したときの気持ち、初心を思い出すべきです。最初、みんなは民主のために立ち上がった。みんなの考え方も多少は変わりました。しかし、最初の気持ちを覚えていれば、我々は立ち止まって語り合える。遠回りに見えてもこれが唯一の方法ではないかと思えるようになりました。黄之鋒たちと食事したとき、彼らも同じことを感じていました。話してみれば同じ苦しみを背負い、違いがないことに気づいたのです」

梁天琦が一気に語った言葉の重みを、二年後、私は思い知った。和理非派と呼ばれる平和的運動にこだわるグループと、勇武派《ゆうぶ》という実力行使も辞さないグループが手を取り合った抗議デモが起き、中国を、世界を、大きく揺るがした。

周庭、梁天琦、游蕙禎。

彼らの話を聞き続けながら、私はいつも、カミュの『ペスト』の一節を思い起こした。

「絶望は不幸であるが、絶望に慣れるのは絶望そのものよりもっと悪いものである」

将来は暗闇に見えるかもしれない。だが、彼らは悲観的ではあっても、消極的にはならなかった。それは、多くの香港の若者たちに共通している態度である。香港の将来について楽観はできなくても、人生に前向きに向き合い、香港と自らの自由を強く願うのだ。

苦しみの二〇一八年を終えるとまもなく、激動の二〇一九年が、ごとりと音を出して動き出した。偶然かもしれないが、彼らにとっては必然だと思えたに違いない。予想を外してしまったのは、彼ら若者ではなく、我々大人たちだった。

第四章　二〇一九年に何が起きたか

†抜け穴か、防火壁か

どこにでも起きうる、別れ話のもつれによるカップルの殺人事件だった。通常の事件と違っていたのは、起きた場所は台湾・台北なのに被害者も加害者も香港人で、恋人の潘曉《ばんぎよう》穎《えい》を殺した陳同佳《ちんどうか》という男が死体を台湾の公園に捨てて香港に逃げ帰った卑劣で無責任な行為が、世界を揺るがせた香港の抗議運動の始まりだった。

潘曉穎の家族の通報で台湾警察が遺体を発見。陳同佳は、潘曉穎のクレジットカードからお金を引き出して使用した罪により、香港で逮捕され、殺人容疑も認めた。台湾警察は陳同佳を立件できる証拠を固めていたが、発生地主義のため陳同佳を殺人罪で裁くには香港から台湾へ陳同佳の身柄を移さなければならない。ところが、台湾と香港との間に容疑者引き渡しの取り決めがなかった。

台湾と香港との間だけの問題ならば話は複雑化しなかっただろう。香港が引き渡しの取り決めを結んでいないのは中国、マカオも同様であった。一国二制度で香港は独自の法体系を有する前提があり、刑事犯の引き渡しは「鬼門」とも言える問題だった。

台湾との関係はさらにやっかいで、中国の法理上、台湾も香港も中国の一地方という位置付けだが、現実に台湾には中国の行政権が及んでおらず、逃亡犯の引き渡しは難しい。

香港の林鄭月娥（キャリー・ラム）行政長官は、オフレコのビジネス界との対話で「（逃亡犯条例改正には）香港の制度の大きな抜け穴を塞ぐ狙いがあった。中央政府からの指示や強制はない」と語ったことが二〇一九年七月にロイター通信のスクープで報じられた。一見、理屈の通った理由のように聞こえる。

ところが、香港返還直前まで外相として対中交渉を担当した英国のマルコム・リフキンド議員は、六月に香港のサウス・チャイナ・モーニングポストに寄稿し、「現行の逃亡犯条例に抜け穴（loophole）はない。むしろ司法制度を守るための防火壁（firewall）なのだ」と指摘している。つまり中国と香港との司法制度を隔てておくために故意に設けている壁であると述べているのだ。抜け穴か防火壁か。一体、どちらが本当なのだろうか。

狙いは中国の腐敗対策？

逃亡犯条例改正について、抗議デモが動き出す六月の直前まで、多くの香港人は改正の本当の目的は台湾での殺人事件の解決ではないと感じていた。

米中貿易戦争の煽りを受け、中国では人民元を外貨に換えて、海外に持ち出す資金逃避の動きが進み、人民元は大きな下落圧力にさらされていた。香港に口座や住居を有している中国人は多い。改正が実現すれば資金を持ち出す中国人への脅しになり、資金逃避を止める効果があると見られた。習近平国家主席が進める反腐敗闘争を恐れた政府高官が多数香港へ逃亡しているとされ、その抑止にもなるとの見立てを香港のあちこちで耳にした。

実は、返還以後、逃亡犯条例問題は、中国政府と香港政府との間で常に懸案であった。二〇一一年に中国の学術誌「法学家」に馬正楠《ばしょうなん》という学者らが発表した論文「论香港与内地移交逃犯的先例模式（香港と内地の逃亡犯条例の先例方式）」によれば、一九九九年三月、八月、一一月、二〇〇〇年三月に四回の中国・香港間の協議が行われたという。また馬正楠は、中央政府駐香港連絡弁公室（中聯弁）などで勤務経験があり、香港法のスペシャリストである。二〇一八年には中国で『香港与内地刑事法制冲突问题研究（香港と内地の刑事法制度衝突の問題研究）』という本を出版したが、二〇一〇年一〇月には香港の保安局長が北京を訪れ、中国の公安部長・孟建柱《もうけんちゅう》らと会談したと明かしている。「ともに積極的に両地の逃亡犯引き渡し問題で協議を進め、できるだけ早期に署名や関係措置をとるよう努力する」という点で合意に達していたが、香港政府は「香港の法律に依拠している」「一国二制度の原則と両地の司法制度の差異を考慮に入れる」「香港政府は司法権と終審裁判権を持っていることに留意する」など法改正に際しての原則を提示し、これが香港政府のボトムライン（底線）だと中国側に釘を刺したという。この香港側の出張はは事実上、マルコム・リフキンドの「防火壁」論に沿ったロジックである。

ここで逃亡犯条例の改正論議はいったん凍結されたようだ。馬正楠も「適切さを欠いた思考では衝突は収められず、さらなる衝突を引き起こすだけだ」と指摘し、「先例主義（個別の案件の積み重ね）」によって個別事案を処理しながら、双方が議論を重ねることで次第に将来の制度化（条例改正）につなげる方が得策だと著書で提言している。

だが、二〇一八年の殺人事件で、香港政府は不可解な動きを見せた。台湾検察が香港人男性を指名手配し、香港政府に何度もレターを送り、司法協力の申し出を行った。個別の案件は、その都度、両当局が協議すれば引き渡し条例はなくても処理できる。従来の香港政府の方針にも合致するはずだったが、香港政府は台湾に回答しないまま、二〇一九年二月に立法会へ逃亡犯条例の改正案を提出し、条例改正へ舵を切った。

この改正案が可決されれば、香港にいる台湾人も「中国人」として中国へ移送されるリスクが生じる。台湾側は「もし改正案が通れば、香港に渡航警告を出す」と通告し、逃亡犯条例が改正されても殺人犯の男性を受け入れないと表明した。ここで殺人事件の解決のための改正という根拠は消滅したが、香港政府の動きは止まらなかった。

見逃せないのは、五月八日に中国で全国公安工作会議が開催されたことだ。香港紙「明報」によれば、習近平は会議上、香港の逃亡犯条例の改正について、「法律の根拠があり、現実に切迫した必要もある」と述べ、「天の声」を発している。

それからまもなく香港政府は六月中の可決を目指すと表明する。主導したのが中国側か香港側かについてはさまざまな見方がある。ただ、「防火壁論」から「抜け穴論」への切り替えはあまりにも拙速で、脇の甘い決定であった。六月四日の天安門三〇周年の追悼集会には一八万人が集まって近年にない賑わいを見せ、勢いづいた反対派が六月九日の抗議デモを開くと一〇三万人が街に繰り出し、長い運動の火蓋が切られた。

†無数の新語

二〇一九年六月の抗議デモの始まりから一一月末の香港区議会選挙でのオール民主派の

圧勝まで香港では以下のように国際的なトップニュースになるビッグイベントが続いた。

・六月四日　天安門事件追悼記念集会に一八万人が参加
・六月九日　逃亡犯条例反対で一〇三万人が参加するデモ
・六月一二日　立法会前のデモで警察がデモ隊を催涙弾などで鎮圧
・六月一六日　条例改正反対と警察の逮捕に抗議する二〇〇万人デモ
・七月一日　デモ隊の一部が立法会ビルに突入
・七月二一日　元朗駅で白シャツ姿の男たちが乗客に暴力
・八月一二―一三日　香港国際空港で大規模デモ、国際線は欠航相次ぐ
・九月四日　逃亡犯条例改正の撤回を正式表明、デモ収束せず
・一〇月一日　中国建国記念日で大規模デモ、五日から覆面禁止法を発動
・一一月一一―一五日　香港中文大学、香港理工大学で警察とデモ隊が衝突
・一一月二四日　区議会選挙でオール民主派が圧勝

私が注目するのは一連の抗議デモで若者たちが見せた「言葉の力」である。目まぐるしく変化する日々のなか、彼らは無数の「新語」を創り出し、運動にエネルギーを注ぎ続け

た。新語は、運動にコミットした人々の共通言語と共通記憶であり、血と汗の結晶でもある。これらの言葉を通し、二〇一九年の景色が蘇るのである。

シンボルになった新語の代表格は「Be water（水のようになれ）」「兄弟爬山、各自努力（兄弟よ、それぞれ山を登ろう）」「五大訴求、缺一不可（五大要求の一つも欠けてはならない）」「光復香港、時代革命（香港を取り戻せ、革命の時代だ）」あたりだろう。「Be water」は、大きな組織を作らず、水のようにしなやかな運動にする今回の運動スタイルを評したもので、欧米メディアの一部は「Water Revolution」と今回の運動を呼んだ。

路上にステンシルで書かれた「光復香港、時代革命」のスローガン

「兄弟爬山、各自努力（兄弟よ、それぞれ山を登ろう）」は、運動体としてお互い仲違いせず、それぞれ努力をしようというもの。「五大訴求、缺一不可（五大要

求の一つも欠けてはならない）」は五つの要求を政府が受け入れるまでは妥協はしないという こと。「光復香港、時代革命（香港を取り戻せ、革命の時代だ）」はすでに述べたように梁天琦が使い始めたものとされ、今回の運動の最大のスローガンになった。

ただ、それ以外にも抗議デモの実相を伝える以下のような新語が次々と登場した。

Popo／黨鐵／發夢／裝修／滅煙小隊／前線巴／後勤絲／火魔法／煲底見／TG放題／和你塞／和你lunch／和你shop／不篤灰／趺咗良心／用腳推開／自由西／食彈

香港人以外で、たとえ中国語話者でも、このうち五つでも正確な意味を言い当てられたとすれば立派な香港通であろう。言葉は、状況を概念化し、世の中に伝えるものだ。当然、語る側の解釈やニュアンスも含まれる。ある言葉が流行すれば、それだけニュアンスも影響力を持つ。抗議デモ側は、言葉の戦いを圧倒的に優位に運んだ。

上記の新語の意味は以下のようなものだ。新語であるがゆえ、解釈が人によって異なるところもあるが、香港人の知人数人にチェックしてもらった。

・Popo＝警察のことを差すスラング。米国由来

・黨鐵＝ＭＴＲなどを運営する「港鐵（香港鉄道）」が、当局に協力して駅閉鎖などを行うことから共産党に服従する企業として軽蔑を込めての呼び方
・發夢＝夢を見よう。最前線に出ていこうという意味
・裝修＝公共施設や親中国派の店舗に対する破壊行為
・滅煙小隊＝催涙弾の催涙ガスを押さえ込む対策チーム
・前線巴＝勇武派のなかの最前線で警察と対峙する主に男性の若者たち
・後勤絲＝最前線の男性をサポートする女性の若者たち
・火魔法＝火炎瓶など勇武派の使った武器
・煲底見＝鍋のような形をした立法会ビルの下部が「煲底」と呼ばれており、運動に勝利したら、そこでマスクをとって会おうという意味
・ＴＧ放題＝催涙ガスをたくさん浴びること。運動の最前線に行くことの意味
・和你塞＝大勢の仲間によって一つの場所を占拠し、麻痺させようという行動。香港空港占拠などで使われた和你飛（あなたと飛ぼう、和理非と同音でかけたもの）が和你シリーズの起源ともいわれる
・和你 lunch ＝親中的だと認定した飲食店に行って営業妨害行動を行う
・和你 shop ＝親中的だと認定した小売店に行って営業妨害活動を行う

・不篤灰＝攻撃を意味する古語と同じ発音の「篤灰」を使って、仲間割れしないことを指す。分裂しないという「不割蓆」とセットで「不篤灰、不割蓆」と使われることが多い
・趺咗良心＝香港警察に対して、市民が「趺咗良心（良心をなくしたのか）」と問いかけると、警棒で殴られ逮捕されたことで流行語になった
・用腳推開＝足で押し除ける。デモ隊を足で押し除ける光景が写真に取られ、警察側は「自然な反応」と取り合わなかったことでネットの笑い話になった
・自由西＝民主派（リベラル派＝自由派）に対して、警官が叫んだ「閪」（ｈａｉ）というスラングの罵り言葉を「西」に置き換えたもの
・食彈＝催涙弾を撃ち込まれること

†催涙弾の嵐で「夢を見る」

運動を通して最も多かったのが、催涙弾に関する新語だ。香港警察が二〇一九年六月から一二月までの間に発射した催涙ガス弾の数量は一万六〇〇〇発に達する。一日につき八〇発から九〇発を使用した計算になる。狂気とも思える数量である。

ほかにも一万発のゴム弾、二〇〇〇発のビーンバッグ弾（散弾銃の弾を袋詰めにしたもの）なども使った。催涙ガスはれっきとした兵器で、ジュネーブ条約で戦場での使用が禁

止されている。目が開けられない、神経に痛みが走るなどの効果を生じる広義での化学兵器だ。軍隊は使うことができないが、警察が治安維持に使える奇妙な具合になっている。

当初、香港警察は英国製の催涙弾を使っていたが在庫を使い切って、英国が再供給を断ったため、中国製を使うようになったと言われる。今回の抗議デモは「催涙ガスに始まり、催涙ガスに終わった」とも言える。

例えば「TG放題」。TGとは tear gas の略だが、まさに「催涙ガスの食べ放題」という意味だ。デモの現場で催涙ガスを吸いまくる、ということを指している。

催涙ガスに絡んで「蒸魚碟」という道具もよく使われた。香港人は魚を蒸す料理法を好むが、銀メッキでちょっと深さのある蒸魚碟というお皿に魚を載せて調味料をかけて蒸しあげる。このお皿を催涙弾に被せると煙の放出が抑えられた。デモ隊は催涙弾に水をかけたり、交通用のコーンを載せたりしていたが、蒸魚碟もかなり効果的で、しかも一枚につき一〇香港ドル程度で購入できる手軽さから、一気に広がった。

催涙弾の雨をくぐる闘いは、彼らにとってあまりに非日常的だった。それをよく言い表している新語が、夢を見ていることを意味する「發夢」である。大量の催涙弾を浴び、全武装の警察特殊チーム「速龍小隊」に追い回される日々。立法会ビルへも突入した。家族には打ち明けられず、心の中に留めているしかない。まるで夢の中のように思えるので、

デモの前線へ向かう若い男女

運動に向かう時、彼らは「夢を見に行こう」と言い合って最前線に向かった。一説によればジョン・レノンの「イマジン」の歌詞「You may say I am a dreamer」から取ったという。新語は自然発生的に生まれるので立証は難しいが、なかなかの文学センスだ。

もちろん、夢心地だけでは闘いは続けられない。電脳空間上で飛び交う情報を制する情報戦も重要である。そのなかで生まれた新語は「FC」。ファクトチェックの略なのだが、ネット上に飛び交う真偽定かならぬ情報を正しく理解する重要性を呼びかけるものだ。政治対立が極限に達するなかではフェイク情報が流れやすい。香港政府の元教育局長が「デモ支持の女性が、前線にいる男性にセックスサービスを提供している」と発言し、親中派メディアが大々的に報じた。実際は噂話に過ぎず、「FC」の重要性が再確認された。フェイク情報を信じることは「炒車」と呼ばれた。「炒」は炒める意味だが、香港では交通事故を「炒車」と呼ぶ。フェイク情報を信じることを交通事故にあてはめたものだ。

†死なばもろとも

この「炒」を使った新語で強いインパクトを与えたのは「攬炒」だろう。広東語で「ラムチャオ」と読む。元の「ごった煮にする」という意味から派生し、「死なばもろとも」に転化した。抗議デモの現場では、しばしば「攬炒」のコールが夜空に響き渡った。「自分たちはこの戦いで死ぬかもしれない。しかし、香港政府、そして中国政府もただでは済まさない」。若者たちの抱く悲壮な覚悟がこの「攬炒」には込められている。日本語で「死なばもろとも」が、英語では「If we burn, you burn with us」と訳される。「我々が燃え尽きるなら、お前たちも一緒だ」。その英文を見た時、さすがに慄然《りつぜん》とした。「香港の経済は大変なことになる」「このままでは香港がダメになる」。警察と衝突を続ける若者への批判も広がった。しかし「攬炒」は、こうした一見、合理性のある不安とは別次元の発想で考え出されたものだ。彼らからすれば、香港経済の停滞も構わない。観光業が打撃を受けても止むを得ない。香港からこのまま自由や法治が奪われるなら、一度、壊れてしまうのも仕方ないとすら考えている。

香港恒生大学講師の社会学者であり、デモ隊の実情に詳しい鄧鍵一《とうけんいち》は「攬炒は理性的な博打だ」と指摘している。鄧鍵一は、そのロジックについて、次のように解説する。

一、デモ隊は、香港政府や中国政府が、天安門事件のときのように軍隊を使った極端な手法で運動を鎮圧するとは考えていない

二、万が一そうなったとしても、代価を払うのは、香港政府であり、中国政府である

三、国際社会で香港問題の悪化が懸念されるほど抗議運動には有利である。そのため、一時的に社会システムが機能しない状態になることも受け入れる

警察隊との激しい衝突。全世界とのフライトを麻痺させた香港国際空港の占拠。こうした矛盾するように見える行動も「攬炒」のロジックを使えば理解がしやすくなる。デモ隊が香港の命運を人質に、中国に仕掛けた一種のチキンゲームなのであった。

「一齊走（一緒に出よう）」も、運動の流れを変えたキーワードの一つだ。七月一日、立法会ビルに突入したデモ隊は、警察隊の接近を知り、撤退しようとした。だが、数人のメンバーが立法会に残ると言い張った。「自決」を遂げようとしたのだ。ほかのメンバーが、残留派に対して「一緒に来たんだから、一緒に外に出よう」と説得する様子をネットニュースの「立場新聞」がウェブで中継し、人々に感動を与えた。立法会への突入という過激な手段に対して、「一線を越えた」と拒否感が広がりかけたが、若者のストレートで純粋

ミュージックビデオ「願光榮帰香港（香港に栄光あれ）」の一場面

な感情表現に心を動かされ、この言葉の流行と共に運動の一体感が高まったのである。

「願光榮帰香港（香港に栄光あれ）」は、マスク姿の若者たちによるオーケストラのミュージックビデオが有名になった。見事な歌詞、見事なメロディで、若者たちがネット上で自然発生的に作り上げたとは思えない。日本語版など各国語版も生まれた。新語と並んで、抗議デモの文化的発信力の強さを世界に印象付けた。

†広東語は入場チケット

総じていえば、こうした新語の発信の裏の意味は、香港アイデンティティの表明に通じている。香港で運動に関わる若者たちは、「香港人」としての自我を強く有している。香港アイデンティティで広東語は大切な要素であり、新語創造は広東語を解さない中国人に対する排他性もはらんでいる。広東語の新語は外部の者には悩みの種であり、新しい言葉が生まれるたびに意味を確認する作業を強いられるのである。

香港文化研究者の小栗宏太によれば、香港においては、香港映画に現れるような「模倣欲」、二次創作やパロディを言論自由の象徴とみなす「香港ネット文化」、サブカルをデモに持ち込む「オタク文化」などが背後にあるとされ、運動は香港式ユーモアが発揮される一大カルチャーイベントでもあった。

小栗は「自由西」という言葉に着目する。六月一二日に起きた最初の警察とデモ隊の衝突のとき、警察が「出てこいや、くそったれ、この自由閪」という表現でデモ隊を批判した。「閪」はｈａｉと発音し、女性器を意味するスラングで、かなり強い否定の意味を持つ。自由を掲げるグループを侮辱する意味だが、のちに閪を西に言い換えて運動参加者を肯定的にあらわす用語としてプラカードに掲げられるなどしたという。

本来、言語は政治化されやすいイシューだが、二〇一四年に香港政府教育局がＨＰで広東語を「法定言語ではない公用語」と書いて抗議が殺到して謝罪に追い込まれた。香港では、中国大陸の簡体字ではなく、繁体字を使用しているが、簡体字のメニューだけを置いた店が抗議を受ける場合もある。最近は北京語お断りの店もあるという。

さらに、広東語といっても、香港では独特の語彙や表現が多く、「香港語」と呼んでもいいぐらい独自性のある広東語による新語は運動に加わった人間にしか伝わらない同時性と排他性がある。米国の政治学者ベネディクト・アンダーソンが「すべての言語は一定のプライバシーをもつ」と述べている通りである。権力＝政府への皮肉を含んだ抗議行動における新語の活躍をフォローすることは香港政治観察の一環で、香港人のロジックを知りたいなら広東語への一定の理解は不可欠だ。学べば仲間、学ばなければ他者という香港社会への入場チケットとも言える。

†ネットとSNSで戦う

ネットが抗議デモで果たした役割はいくら強調しても足りない。香港ではネットの使用率、SNSの習熟度は、日本よりも高い。日本ではSNSといえば、FacebookやInstagram、LINE、Twitterを思い浮かべるが、香港では、情報発信にFacebookの利用は日本以上に活発で、Instagramもよく利用されており、チャットツールとしてはWhatsAppの人気が高い。日本で人気のLINEやTwitterはあまり広がっていない。

だが、今回の抗議デモでは、従来のSNSの利用慣習と一線を画した。最大の理由はセキュリティへの配慮である。香港のデモ参加者は、顔認証による個人特定での摘発を避けるため、マスクやゴーグルをつけて街頭に出ていた。MTR（港鐵）の利用も行動追跡を避けるため、八達通《はったつつう》（オクトパス）と呼ばれるスマートカードは使わずに現金で乗車した。

そして、Facebook や Instagram など、発信者が特定されやすく、不特定多数の目に触れるようなSNSは、デモ参加者の間では積極的に利用されなかった。

Facebook でもメッセンジャー機能でチャットはできるが、そのセキュリティは低いと一般にみなされており、情報流出を報じるニュースも時々流れる。とはいえ、一般民衆への浸透度はなお高いので、現場からの中継や告知・宣伝する目的では利用されたが、機密度の高い議論や情報交換では避けられた。これに対して、活発に利用されたのはネット掲示板の「連登（LIHKG）」とチャットツールの「テレグラム（Telegram）」である。

彼らは、この二つのツールを意思決定において巧みに使い分けた。まず「連登」と呼ばれる掲示板で、いろいろなテーマについて延々と議論を行う。そのなかで有用な考え方が生まれてくると、議論を経てコンセンサスとなる。具体的な役割分担や行動計画の立案については、メッセージアプリ「テレグラム」で行うという二段階の形式を取っていた。

「連登」は誰でも中に入れるうえ、香港のメールアカウントを持っていれば書き込みもできる。通常、ネットでは声の大きい人間が主導して意見が偏りがちだと思われる。だが、「連登」での議論は必ずしもそうでもない。「三人寄れば文殊の知恵」ではないが、社会経験の浅い若者たちが次から次へと、当局の予想を裏切る行動を考え出した。空港占拠などマイナス効果が目立つ事案もあったが、独創的な運動方法の誕生に「連登」の果たした役割は大きい。比較的オープンな場所であるので、第三者や親中派、中国の公安関係者も入ることは技術的に難しいわけではなく、具体的な行動計画を「連登」では決めない。

テレグラムの開発者はパーヴェル・ドゥーロフというロシア人で、「完璧なセキュリティ」を謳い文句にしたアプリである。あらゆるメッセージが暗号化されているので、外部からの監視が難しい。ドゥーロフは、SNSのVK（フ・コンタクテ）の開発などにも成功して億万長者になったが、プーチン政権と敵対し、いまはロシアの外で暮らしている。

Facebook や LINE の監視は各国当局によって日常的に行われているとされる。「どの政府にも傍受されない」ことを目指して開発されたテレグラムの機密性は香港でも重宝された。中国では使用禁止になっている。テレグラムのもう一つの強みは情報伝達の速さ。メッセージが一秒で相手に届く。若者たちはテレグラムを駆使して警察の特殊部隊（速龍小隊）の位置を共有し、ヒットアンドアウェイ方式で警察をキリキリ舞いさせた。

†レノン・ウォール

今回の抗議デモがすべて電脳空間上の戦いであったかといえば、そうではない。アナログな意見表明の場もあった。それが「レノン・ウォール（連儂牆）」だ。平和の象徴である歌手ジョン・レノンにちなんだもので、人々の願いを込めた大量の付箋紙が貼られた壁を指す。

　レノン・ウォールは香港中どこにでもできたが、おそらく香港最大のものは、新界・大《だい》埔《ほ》墟駅《きょえき》の地下トンネルだろう。数百メートルにわたってトンネルの壁が付箋紙や張り紙で埋め尽くされ、まことに壮観だった。「香港人、頑張れ」「警察の暴力をやめさせろ」「香港に革命を」など、一人ひとりの思いがつづられている。互いに見知らぬ人々がメッセージの紙を重ねていく言語のフォーラムだ。大埔墟駅のレノン・ウォールも何度も親中派や中国人観光客と思われる人々に剝がされ、その度に、人々が新しい付箋紙を貼り続けてきた。台湾の大学にもレノン・ウォールが作られ、香港を応援する気持ちで関わった台湾人学生と、これを取り外そうとする中国人学生の間で小競り合いが頻発する事態になった。世界中で香港の抗議行動があるところにレノン・ウォールが出現した。

　私が思い浮かべるのは、中国の壁新聞だ。文化大革命や民主化運動のなか、街角に出現した。ただ、あのいかつい革命式の文字は香港には似合わない。レノン・ウォールは、付箋紙のピンクやイエローが目立ち、華やかで、アートの香りすらする。民主的で公平な選挙によって指導者や住民代表を選ぶことが制限されている香港人にとって、付箋紙の山こそが現代の壁新聞であり、意思表明のもう一つの場となった。民意を汲み取れない制度、汲み取ろうとしないリーダーに向けられた、市民の無数の声であるとも言える。

レノン・ウォールいっぱいに貼られた大量の付箋

レノン・ウォールは雨傘運動の現場にもあったが、二〇一九年は全香港に広がった感があった。香港取材に行くと、いつもレノン・ウォールの前に立った。レノン・ウォールは香港人のビッグデータであり、集合意識の表層でもある。すべてのレノン・ウォールに描かれる文字を解析したら面白いデータが得られるに違いない。場所によって、時期によって、内容も変わってくる。湾仔の警察本部前のレノン・ウォールには警察の暴力を批判し、香港政府に近い場所では林鄭行政長官を批判するものも目立った。

テレグラムも、レノン・ウォールも、香港の運動は欧米社会との連続性を感じさせる。その点は台湾や日本の運動と少々様相が異なる。英国支配とそこから連なる欧州の思想的影響は、香港の運動のなかで軽く見てはいけないポイントであろう。

†和理非派と勇武派

二〇一九年の抗議デモを経て、「和理非《わりひ》」派と「勇武《ゆうぶ》」派という、香港の運動への理解に欠かせない用語が日本でもそれなりに定着した。派といっても特に明確な線引きがあるわけではなく、日本でいえば、リベラルと保守の違いのようなもので、強く主張する人もいれば、中間的でどちらかといえば、という人もいる。

和理非は、すでに述べたように「平和的、理性的、非暴力」の略で、香港の伝統的な民主派も和理非派である。昔は香港に勇武派は存在せず、その出現は雨傘運動前後からだった。雨傘運動では、デモによる公道の占拠以上のことをしようとしない和理非派に対し、業を煮やした一部の若者たちがいた。彼らは、七九日間で占拠を終えた主流派＝和理非派と対立し、リーダーとなったのが前出の梁天琦であった。彼らが使った「勇武抗争」がその名称の起源とも言われる。

勇武派は、本土派に重なっているが、和理非派にも本土派はいる。黄之鋒や周庭が所属するデモシストは、和理非派の立場に近いが、完全に実力行使を排除しているわけではない。習近平の香港訪問のときは公園占拠という手段に出た。雨傘運動は、和理非派と勇武派の分裂と対立で勢いを削がれたが、今回の抗議デモは両派がスクラムを組んで、香港政府に立ち向かったところに、運動の特徴があった。

香港でも日本でも「デモの先頭に立っている勇武派は孤立している」という情報が流れたが、私の見る限り、そういう事態は起きていなかった。中国が親中メディアや協力者を通して行っている情報プロパガンダだった疑いが濃いものだった。わかりやすいストーリーであるのに加え、雨傘運動で分裂したという先入観があるので、人々も惑わされやすい。

デモ隊の本音を探ろうと、香港の社会学者たちが、毎週のようにデモの現場で記入式のアンケート収集を進めた。サンプル数は六千人に達する大型調査だ。研究メンバーの一人、嶺南大学助理教授の袁瑋熙《えんいき》（サムソン・ユン）によると、香港の一連のデモは、多数の和理非派が本体で、少数の勇武派がいわば「最前線」を担う分担になっていた。和理非派と勇武派の分断は「調査からは、両者の分断は見えない」と否定する。

「従来の香港のデモはリーダーが乱立し、運動の最中に分裂して弱体化しました。雨傘運動がその例です。今回は団結力の強さが際立っています。和理非派と勇武派の境目は、周囲が思うほど、はっきりしておらず、むしろ共通の仲間という認識をされています」。

二〇一九年秋のアンケートで「暴力には同意しない」という人々は三〇％前後に過ぎない。「勇武派の人々も我々のために戦っている」と考えるのは九七％。「みんな同じ船に乗る仲間だ」と考える人は九九％に達する。運動の一体感は終始高かったのである。

袁瑋熙によれば、運動の特色を示すのは「兄弟」「手足」という言葉だ。メンバーはお互いのことを「兄弟」「手足」と呼び合う。方法論は違っても、一心同体で目指すところは一緒という意味である。過去の香港の運動にこうした呼称はなかったという。

人々は都合の悪い事実から目を背けたがる。香港のデモを否定する人々からすると、香港人が「兄弟化」したとの現状は受け入れ難い。しかし、客観的に、和理非派と勇武派の分裂は顕在化しなかった。ただ、もともと法を超える実力行使に拒否感があった和理非派も、勇武派との共闘を受け入れるには一定のプロセスが必要だった。

多くのデモの主催団体となった「民間人権陣線」の代表者の岑子杰《しんしけつ》（ジミー・シャム）は、二〇二〇年一月に日本で行った講演で「最初、私たち和理非派は激しい抗議は望まず、勇武派の行動は支持できませんでした。ですが、雨傘運動で和理非派も勇武派もリーダーは逮捕され、青春を犠牲にさせられました。和理非派にも勇武派にも中国共産党は民主を与えません。どちらも共産党に迫害されている点では同じです。抗議デモでも、どちらも警察の暴力を受けた。私たちの絆は警察の暴力と迫害を通してつながったのです。平和的なデモだけでは世の中は変えられないと私たちも歩み寄ったのです」と語っている。対立のあった両者を近づけて一体にさせたのは、香港警察や香港政府、そして中国だった。

香港において、すべての人が路上のデモに参加するわけではない。心理的には香港政府に批判的でも、積極的な行動は控えている中間層の人々は大勢いる。彼らを味方につけなければ当局とは対抗できない。中間層は和理非派との近接性が高い。構図としては、まず勇武派と和理非派がつながり、和理非派を媒介に勇武派への中間層の拒否感が薄まった。

†KYな香港行政長官の不幸

林鄭月娥行政長官の個性が、今回の事態を悪化させた点に異論がある人は香港で少ないだろう。彼女が完全な中国の操り人形と決めつけるべきではない。逆に、彼女の言動に中国も手を焼いた部分があった。もともとは雨傘運動で前任者の梁振英《りょうしんえい》（ＣＹ・リョン）行政長官の人気が急落し、統治能力に疑問を抱いた中国が、林鄭月娥への交代を求めたと目されている。その意味では、確かに中国の後押しでトップに就いたのだろう。

だが、この人がトップでなければ、これほど問題がこじれることはなかったと、香港人だけではなく、習近平も感じているかもしれない。二〇一七年の行政長官選挙で林鄭月娥と戦った元財務官の曽俊華《そしゅんか》（ジョン・ツァン）は市民の受けもよく、民衆の気持ちを摑むことに長けていた。「彼ならば」というぼやきを親中派からも何度も聞いた。林鄭月娥は無能ではない。行政官としては有能なはずだ。だが、リーダーとしてはピントがずれていた。六月一二日の警察とデモ隊の最初の大規模衝突のあと、テレビ出演して抗議する若者を自分の子どもに例えて「母親として、子供を好き勝手にはさせられない」と涙を流したが、逆に香港人をしらけさせた。行動がどこかＫＹ（空気を読めない）なのだ。

例えば二〇一八年一〇月、香港・マカオを結ぶ港珠澳大橋《こうじゅおうおおはし》の完成式典のあいさつで、林鄭月娥は隣にいる習近平を共産党トップを指す「総書記」と呼んだ。香港のトップは中国の指導者を「国家主席」あるいは「主席」と呼ぶのが習わしだ。マカオの行政長官はもちろん「国家主席」を使った。中国と香港は、基本、党の間柄ではなく、政府の間柄だからである。中国の政治文化では明らかなミスであり、ひとしきり話題となった。

キリッとした目線にメガネ、真面目なオーラを全身から漂わせる容貌の林鄭月娥は、英国統治下の香港で一九五七年に生まれ、最良のエリートとしてキャリア官僚になった。香港大学を卒業し欧米留学を経て、一九八〇年に香港政府に入る。香港では英国統治時代以来の伝統として政府のキャリア職はAO（ADMINISTRATIVE OFFICER）と呼ばれる。その難関度は日本の国家公務員上級職をはるかに凌《しの》ぎ、林鄭月娥はAOのなかでもとりわけ能力の高いスーパーAO的な人材として名前が通っていた。

仕事のスタイルは「ギリギリと細かい点を詰めていくスタイル」（本人の弁）であり、問題をバッサバッサと解決していくことで評価をあげた。その強気の性格から、発言が物議を醸すことも多かった。ついたあだ名は「好打得（武闘派）」。部下に強いプレッシャーをかける仕事ぶりから、下についた人々の評判は良くなかったが、成果は上げた。

就任直後は「仕事ができるフェアな人物」と評判も悪くなかったが、次第に中国寄りの姿勢が目立つようになり、抗議デモへの対応で一気に人気を落とした。世論調査の支持でも行政長官として過去最低レベルで信頼度は一〇ポイントを切ることもある。初代行政長官の董建華の時代、四〇ポイントが「危険水域」と呼ばれた日が懐かしい。

親中派のある立法会議員が「最悪だった」と述べるのが、逃亡犯条例の一時凍結を表明した六月中旬の記者会見だった。謝罪もなく、記者の質問にはとうとうと反論を加えた。

市民は苛立ち、記録的な二〇〇万人デモを引き起こした。ここで完全撤回や丁寧な謝罪などの果断な対応を取っていれば、抗議運動は早くに収束したかもしれない。三か月遅れで九月に表明した完全撤回は「偽譲歩」と呼ばれ、香港社会に相手にされなかった。

なかでも最大のKY行動は、中国の「本音」をバラしてしまったことだった。香港政局に強いロイター通信が九月一日に配信した前述のスクープで、林鄭月娥が香港経済界との懇談で語った内容が、言い逃れのできない録音つきで公表されている。

「もし自分が選べるなら、最初にしたいのは立ち去り、謝罪し、辞めることだ」

香港の行政長官が中国の同意抜きに去就を自ら決定できないのは公知の事実だが、むしろ私が驚いたのは「中央は絶対に解放軍を出動させない。共産党は大きすぎる代価を恐れているからだ」と語った部分だ。中国政府の抗議デモへの対処方針を、行政長官自らが赤裸々に明かしてしまった。クローズドの場とはいえ、これは相当にまずい。

ただ習近平は、林鄭月娥を不思議なぐらいかばい続けた。北京に何度も呼び付けては「高く評価している」と持ち上げる。もともと中国の対香港人脈は、総書記であった江沢民派の天下だったとされる。そこに江沢民派から遠い林鄭月娥を押し込んだのは習近平で、切りたくても切れないという見方も根強い。林鄭月娥に頑張ってもらわないと習近平のメンツが危うかったのか。

林鄭月娥に同情されるべき点もある。社会主義・権威主義の中国と自由主義の香港という、あまりにも異なる両者を結びつける一国二制度において、緩衝役《かんしょうやく》の立場に置かれる行政長官は、時には中国の代理人を演じ、時には香港市民の利益を代表するトップの顔を求められる。政治センスが強く問われる難しい仕事だ。過去三人の前任者も幸福な去り方はしていない。

初代行政長官の董建華は就任時の人気が高かったが、政治手腕の未熟さや中国寄りの姿勢が目立つようになり、支持率が急落。二〇〇二年に再選されたものの、二〇〇三年の香港基本法二三条反対の五〇万人デモを招き、二〇〇五年、体調悪化を理由に任期満了前の退任に追い込まれた。

後任の曽蔭権《そいんけん》(ドナルド・ツァン)は蝶ネクタイがトレードマークで、林鄭月娥と同じAO出身であった。不人気の董建華の後を継ぎ、ソツのない行政官としての能力に加えて、中国の支援もあって香港経済は好景気に沸いた時期であり、全体としては任期満了の二〇一二年までは大きなトラブルなく乗り切った。しかし、在任中から不正の噂が絶えず、二〇一五年に汚職の疑いで起訴され、二〇一七年には有罪判決を受けている。

三代目行政長官の梁振英(CY・リョン)はとにかく不人気だった。「ABC (anyone but CY)」という言葉が流行語になるほどで、二〇一四年の雨傘運動を引き起こした。過去の二人と違って一期目を終えると二期目への出馬を「家族の事情」を理由に取りやめた。本人は再任を望んでいたとされるが、中国政府から見切りをつけられたと見られている。ただ、董建華も梁振英も、退任後は全国政治協商会議の副主席となっている。共産党に逆らわなければ香港で不人気でも退任後は出世できる悪しき前例になっている。

平時であれば林鄭月娥も行政手腕を発揮できたかもしれない。不運なことに今の香港は「有事」にあった。経済人との懇談では「自分は外出すらできない」と嫌われ者になった不幸を嘆いた。行政長官に就いたことを最も後悔しているのは彼女自身かもしれない。

第五章　映画と香港史

†映画都市・香港

　波乱に満ちた香港の歴史は、一本の優れた映画のようである。

　香港はアジアきっての映画都市でもあり、香港を「東洋のハリウッド」と呼ぶこともある。アジア有数の制作本数を長年維持し、街並みが繰り返し映画の舞台にもなった。脚本もなく、ラフなメモ書きだけでカメラを回す「無問題《モウマンタイ》文化」も、香港式ナンセンスギャグ「無厘頭《モウレイタウ》」も、映画を通じて、世界に広がった。極めて危険なアクションも辞さない。活力とスピードと猥雑さ。香港の魅力はイコール香港映画の魅力と見られてきた。

香港という都市の連想に、映画の二文字は必ず入る。香港に興味を持つ人の多くも入り口は香港映画だ。私は成龍（ジャッキー・チェン）の映画を見て育った世代で、「プロジェクトA」のビルからの落下には痺《しび》れたものだ。一九八〇年代から一九九〇年代にかけての香港映画黄金時代は、監督では王家衛（ウォン・カーウァイ）、呉宇森（ジョン・ウー）、俳優ではジャッキー・チェン、周潤発（チョウ・ユンファ）、張曼玉（マギー・チャン）など、どの作品がどの監督でどの俳優が出ていたか、克明に思い出すことができる。

香港返還後、中国との合作が増えて香港らしい映画が減って「香港映画は死んだ」とも囁かれたが、雨傘運動以降は独立系の若手監督が話題作を次々と発表している。「映画は世相を映し出す鏡である」という考えから、私は、台湾映画を通して台湾社会を描く本を書いたことがある。映画が外国理解のテキストという点では、香港は台湾以上にその意義は大きい。

香港史は、アヘン戦争から現代までおよそ一八〇年。とはいえ、ぎっしりと近現代史の重大事件が詰まった歴史である。丁寧に描けば字数はあっという間に尽きてしまうが、あっさり書きすぎても歴史教科書のように味気なくなってしまう。香港史にも字幅を割いた日本語の概説書もいろいろある。私は、映画都市である香港の歴史を「アヘン戦争」「日本軍の香港占領」「戦後の香港」「香港返還」「雨傘運動」という重要テーマに絞って、香港映画や香港を題材にした映画を通して香港が歩んだ道を紹介していきたい。

†アヘン戦争と香港誕生

アヘン戦争を題材にした作品は多いが、香港返還（一九九七年）のタイミングにあわせて上映された中国映画「アヘン戦争」（原題・鴉片戰爭）は、歴史を忠実に再現しつつ、人間ドラマをバランスよく織り込み、昨今の中国映画にありがちな「愛国臭」も強くはない。当時の中国の表現・言論状況は、自由な気風がまだあったことをうかがわせる。

猖獗《しょうけつ》を極めた中国のアヘン蔓延。一七三一年に二〇〇箱（一箱六〇キロ）だったアヘンの輸入量は、一七九〇年に二〇倍増の四〇九四箱、一八三〇年には一万九九五六箱に達した。裏で暗躍した英国商人と地元広東の買弁（中間商人）、清朝官僚たち。皇帝の命を受け、アヘン退治で派遣された欽差《きんさ》大臣林則徐《りんそくじょ》の活躍と挫折を描いた作品である。

大量に押収されたアヘンには東インド株式会社のマークが輝く。アヘンはインド経由で広東に持ち込まれた。中国から大量の茶葉を購入する英国は、インド産アヘンの利益で中国の銀を吸い上げ、インドに向かうはずの大量の中国銀も、英国の織維品をインドに売りつけて巻き上げるという三角貿易の仕組みで莫大な利益を上げた。

そんな狡猾《こうかつ》なやり方の英国人に対して、林則徐はこう詰問する。

「貴国では、女王がアヘンを禁止しているではないか。女王の命令で、広東に行く船は禁止品を運んではならないと定めている。英国でもアヘンは禁止されている。どうしてジャーディンのような連中が命令に反してアヘンを持ち込んでいるのか」

ジャーディンとは、英国人、ウィリアム・ジャーディンのことで、ジェームズ・マセソンと組んでアヘンを扱った。二人で設立した商社ジャーディン・マセソン商会はアヘンで荒稼ぎして巨大企業となった。長崎のグラバー園で知られる、坂本龍馬とも交流があった英国人トーマス・グラバーは、同社から日本に派遣された。ジャーデン・マセソン・ホールディングスは、香港返還を前に本拠をバミューダ諸島に移して話題になった。

映画では林則徐がアヘンを廃棄するシーンがある。最大の見所の一つだ。私は林則徐がアヘンを焼却したと思い込んでいたが、映画では大きな池に放り込まれて、石灰が投入され、海に流される。監督の謝晋《しゃしん》は、本作のために大量の文献を読み込んだというが、調べてみると、このアヘン廃棄方法は確かに歴史を忠実に再現したものだった。

押収アヘンの重量は一四二五トンもあった。アヘンの特性を研究した林則徐は、広東省・虎門《こもん》の海岸に五〇メートル四方の人工池を二つ造らせ、箱から取り出した球状のアヘンを投げ込んだ。そこに消石灰の塊を大量に投入すると、化学反応で煙をあげた。焼却という表現はここから来ているのであろう。処理に六月三日から六月二五日までかかった。

林則徐にも誤算があった。英国の武力である。清朝の防御は英国艦艇の大砲の敵ではなかった。英国人の財産を奪ったことを口実に、英国は開戦に動いた。英国の非道が目立つが、救いは英国議会で艦隊派遣への反対論が相次ぎ、賛成二七一票対二六二票という九票の僅差《きんさ》でかろうじて可決されたことだ。否決されていたら、歴史は大きく変わり、香港という都市は誕生していなかった。自由党のウイリアム・グラッドストンによる議会での歴史的な派遣反対演説が、映画では省略されているのが惜しい。それはこんな内容だった。

「その原因がかくも不正な戦争、かくも永続的に不名誉となる戦争を、私はかつて知らないし、読んだこともない。……しかし、中国人の側に正義があり、他方のわが啓蒙され文明的なクリスチャン側は、正義にも信仰にももとる目的を遂行しようとしている」

英国艦艇の天津《てんしん》への北上を許した林則徐は解任された。それでも開戦となってしまい、香港島の割譲と五港の開港を認める南京《ナンキン》条約を結ばされた。映画のラストで林則徐は寂しく広東を去る。清朝の退潮はここから本格化し、一方、香港は英国の東アジア進出の拠点として急速に発展を遂げていく。

†日本の香港占領

日本人の香港におけるイメージは良好とは言えなかった。原因は日本の香港占領に対する反発である。三年八ヵ月という日本の香港占領だが、スパイ摘発に名を借りた残虐行為、のちに紙屑になってしまう軍票の乱発による香港人の財産の毀損、人口削減策のための広東省への大量強制移住などは、香港社会の対日観に大きな負債を残した。

その日本占領をテーマにした作品が一九八四年の映画「風の輝く朝に」(原題：等待黎明)である。日本軍占領期の若い男女三人の三角関係を描いたもので、のちに「アジアの影帝」と呼ばれるチョウ・ユンファが主役を演じる。若手俳優として売り出し中で、日本軍に運命を翻弄《ほんろう》されながら二人の幸福のために、切なく格好いい演技が素晴らしい。

舞台は一九四一年。李香蘭《りこうらん》主演の映画主題歌「支那の夜」がラジオから流れる。日本軍の将校は、民衆を集めて「支那の夜」を歌わせる。うまく歌って日中親善に協力することを誓えば、コメを分け与えるというシーンだった。日本軍による反抗分子の処刑シーンもある。それでも、日本で高い評価を受け、この映画でチョウ・ユンファのファンになった人も少なくなかった。ラストは、船で香港脱出を試みた三人が、日本軍の巡視船に発見される。チョウ・ユンファは自分もろとも巡視船を爆破して、二人を逃がした。

日本が対米開戦と同時に香港を攻略に動いた理由は、対中戦略上の部分が大きかった。英国統治下の香港は、抗日運動の拠点であると同時に、中国への補給ルートでもあったからだ。

日本軍はすでに占領していた広東から香港へ総攻撃を仕掛けた。わずか一八日間で英軍を降伏に追い込み、日本軍の強さを世界に印象付けた。英軍降伏の日が一二月二四日だったので「ブラック・クリスマス」と呼ばれた。統治は、軍部中心の苛烈なものだった。香港民心を勝ち取るよりも戦略拠点としての香港を支配する面が突出していた。香港トップには、日本からは軍政庁長官時代に二名、占領地総督時代に二名の計四名が派遣されたが、いずれも陸海軍の中将であり、軍が前面に出た占領であった。背後には、香港のコントロールが日中戦争の勝敗を左右するという軍部の認識があったからだ。

南京から重慶《じゆうけい》に退いた蔣介石《しようかいせき》率いる国民政府に対し、日本は中国沿岸部を封鎖し、制海権を握ったが、香港は英国が抑えている。蔣介石に物資を送る援蔣ルートは、北からのソ連ルート、西からのビルマルート、そして南からの香港ルートがあった。

ソ連ルートはソ連─新疆《しんきよう》─甘粛《かんしゆく》─陝西《せんせい》─重慶で、砂漠地帯を含めてとにかく長距離の運搬が必要になる。緬甸《めんでん》─雲南《うんなん》─貴州《きしゆう》─重慶のビルマルートは険峻な山路で道路舗装も不十分で多くの荷物は運びにくい。大量輸送に最も便利なのは香港ルートであった。

香港は英米などから届く貴重な物資・資金の流入先となり、重慶・香港間には直行便すら飛んでいた。孫文《そんぶん》の未亡人の宋慶齢《そうけいれい》は上海から香港に逃れ、香港陥落直前まで、中国の戦線に医薬品などの物資を送っていた。その香港ルートを潰すため、日本は香港占領戦に踏み切ったのだった。ただ、実行にあたっては慎重に検討を重ねた。香港には精強な英国軍が駐留していたからだ。作戦立案には参謀本部から瀬島龍三《せじまりゅうぞう》が派遣され、香港攻撃原案を提案している。後に戦後政治の裏方として深く国政に関わる瀬島はさすがの慧眼で香港攻略の容易ならざることを見抜き、一個師団半の戦力投入を提言している。

†中国革命と人口流入

香港は「岩」であったとよく称される。岩しかない土地に、世界有数の巨大経済都市を築き上げた英国の功績を称える際に、常に用いられるフレーズである。

ただ、岩と言い切るのはいささか誇張で、一八四一年、つまり英国の香港領有の直前に香港島には七四五〇人が暮らしていた。うち香港島の漁村に四三五〇人が暮らし、水上生活者も二〇〇〇人ほどいた。香港の陸地面積の三分の一を占めるとされる花崗岩《かこうがん》は風化しにくく、緑地や平地も乏しいので、「不毛の地」などと呼ばれた。

香港の人口は、その七四五〇人から今日はおよそ一〇〇〇倍の七五〇〇万人に増えている。香港の歴史は、人口流入による人口増の歴史でもあった。英国統治が始まり、香港の人口は急激に成長した。一八五一年の太平天国の乱で三万三〇〇〇人、一九一一年の辛亥革命で六〇万人。動乱や戦乱のたびに香港の人口は膨れ上がった。日中戦争が始まると、一六〇万人に達した。

日本は、香港の人口削減のため、香港から大陸に帰還させる政策をとり、人口は六〇万人に減少。一九四五年の終戦とその後に起きた国共内戦によって再び流入が激化し、英国政府は一九五〇年に国境を閉じるが、人口は二〇〇万人を突破していた。移民、難民など、香港に一時避難する目的で大陸から逃れた人々が今日の超過密都市・香港を形成した。

香港の映画産業の発展も人口流入とは不可分だ。日本占領前も香港の映画産業は小さくなかったが、香港社会と東南アジアの広東出身華僑《かきょう》向けの広東語映画が多く、「明星」「天一」「聯華」などの映画会社が活発に作品を作っていた上海に及ぶものではなかった。日中戦争による上海陥落を機に、第一線の映画人たちが香港に逃げ込んだ。朱石麟《しゅせきりん》、呉祖先《ごそせん》、卜万蒼《ぼくまんそう》、俳優には李慶華《りけいか》、白光《はくこう》、袁美雲《えんびうん》、陳燕燕《ちんえんえん》、周万華《しゅうまんか》、王豪《おうごう》、王引《おういん》、王川《おうせん》、王元龍《おうげんりゅう》など、当時の中国の名だたる監督、俳優が含まれている。共産党の中国支配が確立するなかで、彼らは事実上の恒久移民となった。国共内戦で上海が共産党軍の手に落ちると、さらに多くの映画人が香港に移住し、香港映画産業は人材を蓄えて、発展の機を迎えた。

米国映画「慕情」（一九五五年）は、そんな人口流入が激化した一九四九年から一九五〇年にかけての香港を舞台としている。中国は毛沢東率いる共産党の手に落ち、ジェニファー・ジョーンズ演じる中国人女医ハン・スーインが、中国難民の少女を治療するシーンから映画は始まる。ハン・スーインは中国語名で韓素音といい、英語名はその中国語読み。自伝的小説「慕情」の原作者である。そのハン・スーインと恋に落ちる新聞記者マーク・エリオットはウイリアム・ホールデンが演じた。この作品は、二大名優が織りなす恋愛物語がベースではあるが、香港社会のライフスタイルも伝えている。

香港を舞台としながらも、香港人は名前のない群衆以外の役割で登場しない。ハン・スーインもベルギー系中国人で基本は欧米社会の人間だ。英国の香港統治は、英国人の世界と香港人の世界という二つの世界を香港に出現させた。格差とすら呼べない別々の世界である。スーツ姿の外国人を、サンパンという木造船に乗せて運ぶ香港の人々。その光景自体が英国の香港統治を実感させる。評論家の永井道雄は『臺灣《たいわん》、香港、澳門《マカオ》』という一九七〇年代の論考で香港の英国統治について、こう語っている。

「イギリスは世界で一番早く近代化された。そして近代を、この中国の外港に百年にわたって植えつけた。だがイギリスのもたらしたのは完全な近代ではなく、近代の一かけらであった。不具者の近代であった。そして皮肉なことに、これこそが、イギリスの香港政策の成功の理由だったように思われる」

香港には、銀行も裁判所もビルも道路も自動車も映画も自由なメディアも持ち込まれた。それらは香港を発展させ、中国にはない「近代」をもたらした。一方で、香港に美術館や博物館、オペラハウスは戦後しばらく作られなかった。これほどの規模の都市においては極めて異例のことである。商業や制度、法律の面で近代化が進んでも、カルチャーや風習、伝統にはあまり手をつけなかった。英国は香港に一五〇年以上いたが、英国文化は決して濃厚に残っているとは言えない。それは英国の香港統治の特徴を反映したものだった。

†戦後香港とイップ・マン

香港の戦後史理解に役立つのが、映画「イップ・マン」シリーズで知られる拳法家のイップ・マン（葉問、一八九三―一九七二年）と、これも実在の拳法家であり、映画スターでもあったブルース・リー（李小龍、一九四〇―一九七三年）の二人である。映画界において、彼らのリアル人生と銀幕人生は、モザイク状に入り組んでいる。

映画で俳優ドニー・イェン（甄子丹）演じるイップ・マンが目に見えないほどのスピードの連打で敵を打ちのめす。現実でも詠春拳《えいしゅんけん》の達人イップ・マンは香港で道場を開き、若きブルース・リーが弟子入りした。生涯で多くの拳法を学んだブルース・リーだが、イップ・マンは唯一、心から師匠と思える人物で、イップ・マンもその才能に目をかけた。

イップ・マンは一八九三年、広東省仏山《ぶつざん》で裕福な家庭の次男に生まれた。一一歳のとき陳華順《ちんかじゅん》という詠春拳の武術家がイップ・マンの土地を借りて武術館を開いた。詠春拳は武器を使用しない「徒手武術」で、短い突き、下半身への蹴り、ブロックからの反撃などの接近戦にめっぽう強いタイプの実戦的なスタイルで知られた。

日中戦争でイップ・マンの邸宅は日本軍に徴用された。共産革命では財産が没収され、イップ・マンは香港に着のみ着のまま移住する。こうした経緯もあり、イップ・マンは反共のはずだが、「イップ・マン」シリーズでは過剰なほど愛国的に描かれる。共産党を否定しない愛国者である、という形で中国の映画審査をクリアしているのだ。

二〇一一年に始まった「イップ・マン」シリーズは人物のみが史実であり、そのほかのエピソードはほとんどフィクションである。その内容は基本的に「中国人への差別意識丸出しの外国人」に対して、イップ・マンが拳法で見事な勝利を果たす「復讐」のカタルシスが満ちている。一作目「イップ・マン　序章」の敵は広東を占領した武道家の日本人、二作目「イップ・マン　葉問」の敵はボクシング選手の英国人、三作目「イップ・マン　継承」の敵は米国人であった。三作品とも、香港でも中国でも大ヒットした。

「イップ・マン　継承」には、ブルース・リーが登場する。イップ・マンのもとに弟子入りを求めてブルース・リーが現れる。イップ・マンはタバコを飛ばしてその技量を測る。タバコを見事に蹴り飛ばしたブルース・リーに対し、次にイップ・マンはコップの水を浴びせる。水を蹴り飛ばしたが、飛沫を浴びたブルース・リーをイップ・マンは無言で道場の外に送り出した。

「水」をめぐる二人の物語を知らないと理解できないシーンである。

現実でも弟子の生き急ぐ性格を心配し、イップ・マンは「水のように穏やかであれ」と教えた。道教思想に起源を持つこの言葉は、ブルース・リーの「燃えよドラゴン」で、「水は自在に動き、ときに破壊的な力をも持つ、友よ、水になれ」という名台詞となって世に知られた。そして今回の抗議デモの組織哲学となり、「Water Revolution」（流水革命）とも呼ばれる原因となった。香港映画と時代は確実につながっているのである。

二〇二〇年一月、待望の「イップ・マン　完結編」が香港で上映されたが、ボイコット問題が沸き起こった。シリーズ開始から一一年の歴史を持つシリーズで一度も起きたことがなく、映画製作関係者も想像がつかない事態であったに違いない。

主人公のドニー・イェンもプロデューサーのレイモンド・ウォン（黄百鳴）も、基本的に香港では「親中人士」と分類される映画人で、香港の民主化運動や抗議デモとは距離を置いていた。映画の観賞ボイコット運動がネット上で展開され、映画のストーリーをすべてネット上で晒《さら》してしまう書き込みが相次いだ。「イップ・マン　完結編」の香港での売り上げは、過去三作に比べて低迷し、逆に中国や台湾で大ヒットするという不思議な現象が起きたことは、香港における「愛国」への態度が変化したと解釈するべきだろう。

†ブルース・リーは香港の文化象徴

ブルース・リーは、戦後の香港映画で絶対的な存在感を有している。「ドラゴン危機一発」ではタイ人から中国人を守り、「ドラゴン怒りの鉄拳」では日本人をやっつけ、「ドラゴンへの道」では西洋人から中華料理店を守った。その「中国人vs.外部勢力」という構図は、「中国人は東亜の病人ではない」との名セリフとともに後発映画の「イップ・マン」シリーズにも引き継がれている。

ブルース・リーは、ピカピカの肉体をひっさげて銀幕に登場した。格闘シーンは演技のレベルを超えていた。涼しげな表情の中に激情を隠し、敵を倒したときの悲しげな顔は観客を引き込んだ。米国人は彼をジェームス・ディーンの再来とみなした。三〇歳からのたった二年半に四本の映画に出演し、「ドラゴン危機一発」「ドラゴン怒りの鉄拳」「ドラゴンへの道」の三本によって世界で五〇〇〇万ドルを稼ぎ出した。突然の死の衝撃で存在自体が伝説となった。イップ・マンが生前感じていた不安は的中したのである。

ブルース・リーが本格的な人気俳優として活躍した時期は短いが、香港にとって特別な意味を持ち続けた。香港本土派の理論的指導者とも言われる評論家の陳雲《ちんうん》は、ブルース・リーの精神が香港に与えた影響をこう記す。

「ブルース・リーは香港の文化象徴であり、上層階流文化の哲理と中層文化の武芸パフォーマンス、下層文化の映画娯楽を総合したものだ。七〇年代、香港の工業が興り、成長領域が拡大し、小資本経営が勃興し、生活の道は多様化し、新旧社会が併存し、活気に溢れ、国共は併存し、政府は六七年暴動のあと心を落ち着け、堅実に歩み始めた。ブルース・リーの時代は、香港の現代化で最も剛健な時代だった」

†香港警察の復権とジャッキー・チェン

一九七〇年代以降の香港映画で欠かせないのはジャッキー・チェンである。それ以前の香港では「汚職警官」「暴力警官」が一般的な警察に対するイメージだった。香港は国際都市のイメージを謳歌しながら、その裏では、麻薬、売春、暴力がはびこり、香港の黒社会（ヤクザ）といえば泣く子も黙る強面で知られていた。香港が誕生の過程で関係したアヘン貿易の「伝統」を引きずっている面もあり、取り締まる警察の腐敗もひどく、香港の治安は評判が悪かった。「イップ・マン」でも腐敗警察官はしばしば登場する。

「香港はアジアで最も物騒な都市」というイメージが一九七〇年代には定着し、「お守りに赤い札を持ち歩け」と言われていた。赤い札とは当時の一〇〇香港ドル札のことである。人けの少ない場所は歩くなと観光客は厳しく戒められ、民家に押し入る強盗事件も多発した。年一〇〇件を超える殺人事件があり、日本人駐在妻の殺害事件も起きている。治安の悪化のすべてを警察の腐敗に帰することはできないが、厳しい目が警察に注がれたのは想像に難くない。警察改革は香港政庁の最優先課題の一つとなった。

一九六七年に起きた香港暴動で、英国植民地政府は教訓を得た。香港社会をマネージメントするには、もはや自由放任では事足りない。取り組んだのが住居の整備と行政の健全化、特に最大のターゲットが警察だった。鳴り物入りで設置されたのが、「香港廉政公署(ICAC)」である。一九七四年の発足後、摘発を受ける大半が警察官だったが、香港警察から次第に腐敗の評判は薄れていった。

香港社会が全体に右肩上がりであったのは一九七〇年代から一九八〇年代にかけてで、香港警察が市民の信頼を取り戻す時期でもあった。ジャッキー・チェンの「ポリス・ストーリー 香港国際警察」には、犯人逮捕で活躍したジャッキー・チェンが警察のイメージアップのPRに起用されるシーンがある。このように香港警察が香港映画の主要テーマとなったのは、香港社会の警察に対する好感があってのことだった。

現在、雨傘運動や抗議デモで香港警察は、香港政府すらコントロールが利かないほどの邪悪な存在として市民の怒りを一身に集める。今後、香港警察を主役とする映画が撮られる機会は減るだろう。ジャッキー・チェンは、中国大陸では愛国的俳優として高い地位を得ているが、民主化や学生運動に冷淡な態度をとって、香港ですっかり嫌われた。国家安全法問題でも真っ先に賛成の意見表明を行った。香港警察とジャッキー・チェンの評価の暗転は、香港社会の変わりようを示している。

†返還で切り替わった忠誠の対象

香港警察も一九九七年の返還で転機を迎えた。忠誠を誓う相手が英国から中国に切り替わったからである。一九九〇年代以降の香港映画で「インファナル・アフェア」(原題：無間道)シリーズは、トニー・レオン(梁朝偉)、アンディ・ラウ(劉徳華)らが出演し、二〇〇二年から二〇〇三年にかけて上映された三部作である。潜入捜査官モノだが、警察内部の権力争い、黒社会の内部抗争などをクールに描いて「香港ノワール」の称号を与えられた。三作品とも高いクオリティで、続編が失敗することが多い香港映画では珍しい。

私が好きなのが二作目「インファナル・アフェア 無間序曲」だ。返還直前の香港を舞台にマフィアのボスのンガイは、黒社会の大物から、新しく発足する立法会の議員として表の世界に転じようとする。それに対して、過去の罪をなかったことにはさせまいとする警察官たちの執念がぶつかるストーリーだ。

映画のなかで、一九九六年六月三〇日の深夜、返還時刻に流れるラジオ放送が「香港は中華人民共和国香港特別行政区になります」と告げる。英国警察から香港警察へ、警官たちが制帽のバッジを取り換えるシーンがある。忠誠の相手が変わった瞬間である。

ちなみに香港警察のバッジは、返還前と返還後であまりデザインは変わっていないが、英国警察のバッジはトップに英国女王の王冠があり、その下の穂に囲まれた中心部分に、香港の「阿群帯路」という絵がある。一九四一年に英国艦隊が香港に到着したとき、陳（阿）群という漁村の女性が英軍の道案内をした、という言い伝えに基づくもので、香港では一〇〇年以上も使用されてきた有名な絵だった。香港警察のバッジでは、王冠は香港特別行政区のシンボルであるバウヒニアの花になり、中央部分は香港のビクトリアハーバーとビル群（警察総署や中国銀行など）の絵に変わっている。

バッジのデザイン変更は香港返還の精神をよく体現している。香港は返還後も外形的には大きく変わったようには見えない。だが、トップに君臨する権力（英国から中国へ）と看板（警察名）を架け替え、中心のコンセプトで英国色を抜き去っている。まるで居抜きの商売のようなものだ。

印象深いシーンがある。主人公の一人でアンソニー・ウォン（黄秋生）が演じるウォン警部が、返還の瞬間、ンガイを排除して黒社会のトップに上り詰めたンガイの部下サムの写真を貼り付けるところだ。国が変わってもやることは変わらない。当時の香港人の静かな決意をこのシーンは代表している。返還後の香港については、当時、楽観論、悲観論どちらもあり、移民ブームが起きてはいたが、すべての人々が慌てて逃げ出すわけでもなかった。変化を淡々と受け入れ、祖国復帰の歓喜もなければ、絶望の叫びもない。香港回収の歓喜に沸いた中国社会との溝は、この時点から始まっていたといえるだろう。

†交錯する香港と英国、中国の運命

香港返還の影響の大きさと深さについて教えてくれる作品が香港映画「玻璃の城《ガラス》」である。「宋家の三姉妹」を撮ったメイベル・チャン（張婉婷）監督で、レオン・ライ（黎明）演じるラファエルとスー・チー（舒淇）演じるヴィヴィアンが、一九九七年一月一日、ロンドンで交通事故死する。二人にはそれぞれ家庭があった。ラファエルの息子とヴィヴィアンの娘は、二人が一緒にいた理由を探し求めながら、香港、英国、中国という三つの場所で生きる香港人のアイデンティティを見つめなおすストーリーである。

ラファエルとヴィヴィアンは、香港大学の同級生で恋愛関係にあったが、すれ違いから関係は途絶え、それぞれ別の伴侶を得て家庭を築く。再会したのは一九九二年の香港で、返還を控えて普通語を学ぶ学校だった。二人の関係が再燃し、香港で一軒家を共同購入して秘密の生活を始めるがうまくいかず、ヴィヴィアンは一人でロンドンに旅立つ。ラファァ

エルが追いかけて二人はロンドンで再会を果たしたが、不幸な事故に巻き込まれてしまう。二人の思いの深さを知った子どもたちは、一九九七年七月一日午前〇時、ビクトリアハーバーで、遺灰を花火に入れて夜空に打ち上げる。

メイベル・チャン監督は作品への想いをこう語っている。

「この作品は、三つのラブストーリーから成り立っています。一つは一九七〇年代の若者のラブストーリー、もう一つは彼らの子供たちの九〇年代のラブストーリー。そして最後は、私自身と香港のラブストーリーです。その愛は、自分でも返還の日まで気付かなかった。長い年月、私を育んでくれたこの街に対して、無意識でもずっと抱いていた想いです」

香港の主権が英国から中国に移される返還という事態によって、香港の人々は本当の意味で自分自身に初めて向き合ったとも言える。なぜ香港は中国に返還されるのか。なぜ香港人の意見は聞かれないのか。自分たちは英国人なのか、あるいは中国人なのか、それとも香港人なのか。海外に移住すべきなのか。自分たちは返還を喜ぶべきなのか。こうした無数の疑問は、結局のところ、「香港とは何か」というテーマに行き着く。かつて誰もが問わなかった本質的な問いが、返還によって香港人社会に突きつけられたのである。

香港返還を喜ばしいイベントとしか考えなかった中国の人々からすれば、想定外のことだったであろう。その「香港とは何か」という問いは、後に香港社会に蒔かれた種となって二〇一九年の抗議行動へ続く道の起点となった。

†香港映画は死んでいなかった

一九九七年の返還後の香港映画界は「北上」がキーワードになった。北上とは、中国市場に打って出ることだ。二〇〇四年に中国と香港の間で「経済貿易緊密化協定」（CEPA）が結ばれた。香港映画は中国で外国映画の輸入制限対象外となり、中国と香港の合作映画は中国映画となることが規定された。折しも、中国で映画館が急激に増えて、観客市場が拡大したことも重なり、香港映画の人材がこぞって中国に移動した。

香港の映画産業は中国人的なテーマを扱う内容が一九六〇年代以前までは主流だった。香港映画というよりも「香港製中国語映画」という呼び名のほうが相応しかった。だが香港で次第に中流階層が形成され、社会の一体感が高まると、香港の独自性に根ざした作品が増え、香港映画というジャンルが確立する。香港映画は、黄金期とされる一九八〇年代から一九九〇年代の盛況を経験し、香港のテイクオフと一緒に世界へ羽ばたいた。

ところがCEPA以降、映画の舞台は香港で香港俳優が出演しても、作品の「香港らしさ」は薄まり、「香港映画は死んだ」という言葉すらあちこちで語られた。そんな悲観論

映画「ミッドナイト・アフター」のポスター

を覆す作品が現れるのは二〇一〇年以降になる。ただ、以前の香港映画の明るさは影を潜め、「ディストピア」的な内容が注目を浴びる。

雨傘運動と同じ年の運動発生前に二〇一四年に上映された「ミッドナイト・アフター」（原題：那夜凌晨，我坐上了旺角開往大埔的紅ＶＡＮ）はその代表格である。

香港の中堅監督フルーツ・チャン（陳果）が監督を務めた。若者に圧倒的に支持された同名のネット小説が原案だ。原題の「紅ＶＡＮ」とは、深夜などに香港の市街地から郊外へ向かって走る乗合ミニバスのことで、出発時間が決まっているわけではなく、車内に一定人数がたまったら走り出す、いかにも香港的な乗り物で、長く庶民に愛されている。

二〇一〇年、小さなレストランの店長、チンピラ、麻薬中毒、リストラされた女性、パソコン店の店長など、香港的Ｂ級生活を象徴する一七人が同じミニバスに乗り込んだ。獅子山（ライオン・ロック）のトンネルを越えると、異世界に飛び込んでしまう。乗客たちは原因不明の疫病で次々と倒れ、防護服に身を包んだ謎の集団に追われる。防護服は二〇〇三年に中国から伝わったSARSを象徴し、福島原発事故と香港に近い中国の大亜湾原発への恐怖を重ね合わせている。防護服集団が装甲車で乗客たちを追い詰めるところは天安門事件の暗示も入っている。香港人が脳内で感じている不安を凝縮したような内容で、PIZZAという原作者も「香港人の集合意識を総合した」と述べている。

現実には、九龍と新界の境界には界限街（Boundary Street）という通りがあり、英国と中国を分けていたのだが、獅子山は香港人意識の中で、事実上中国と香港を隔てる境界だと認識されてきた。英国は中国から泳いで香港に逃げ込んだ人々について、新界で捕まえたら中国に送り返し、獅子山より内側に入り込めば香港の居住権を認める政策をとったこともある。

日本軍の香港占領戦も獅子山を越える形で展開された。人民解放軍が香港に投入されるとすれば獅子山を越えてやってくる。獅子山は「安全な香港」と「危険な外界」を遮断する壁のようなもので、壁の向こうで恐怖に遭遇する設定は香港人の潜在的恐怖を刺激し、興行成績二〇〇〇万香港ドルというスマッシュヒットとなった。

チャン監督自身は「映画に強い政治性があるとは思わない」と述べているが、時代が映画をより政治的に押し上げた部分もあった。上映後同じ年に雨傘運動が発生し、翌年に台湾で上映されるとき、映画のポスターには「今日の香港は明日の台湾」という煽り文句が付けられた。台湾と香港の危機感の連帯はこの時点で始まっていた。

†一〇年後のディストピア

雨傘運動の最中に制作が進み、二〇一五年に上映された映画「十年」は「ミッドナイト・アフター」よりさらに政治性を突出させ、一〇年後＝二〇二五年の香港を悲劇的に予言する内容である。五作のオムニバス映画で、「支配者（中国）」（作品名：浮瓜）、「焼身自殺者」（作品名：自焚者）、「人体標本」（作品名：冬蟬）、「広東語」（作品名：方言）、「本土」（作品名：本地蛋）という各作品には、中国の支配に侵食される「絶望」が漂う。

どの作品も見応えがあり、オムニバスにありがちなバラバラ感がなく、連続ドラマのように観ることができる。香港では単館上映からスタートしたが口コミで評判が広がり、最終的な香港での興行収入は六〇〇万香港ドルを超えた。香港最高の映画賞である香港電影金像奨でも最優秀作品賞を受賞した。日本上映も反響を呼び、スピンオフの日本映画も撮られた。間違いなく、この一〇年で香港を代表する作品の一つである。

チーフプロデューサーのアンドリュー・チョイ（蔡廉明）は、私とのインタビューで企画のスタートについてこう説明した。

「二〇一四年の初頭、仲間と香港の未来の危機を伝える映画を撮りたいと話し合いました。当時の私たちは、香港の政治も経済社会も、かつての香港らしさや自由を失っていく恐れがあると感じていました。予算は少なく、俳優や撮影スタッフを集めるのにも大変苦労しました。出演を断る俳優も多かった。結果的に賞をもらい、香港の観客がこれほど熱狂的に受け入れてくれたことは、いまでも信じられません。私たち製作にかかわった人間たちが抱えていた将来への不安を、香港の人々も感じていたということなのでしょう」

制作費はたった五〇万香港ドル。プロデューサーも監督もすべて二〇代や三〇代だ。中国に批判的な政治映画を作れば、将来の「北上」の可能性は閉ざされかねない。それでも「もう黙ってはいられない」という思いを共有して創り出した傑作だった。

作品の一つの「本地蛋」とは「地元産の卵」という意味で、「本地」は二〇二五年の香港で禁句となり、文革の紅衛兵を模した少年団が取り締まっている。「地元産の卵」を売る雑貨店に少年団が押しかける、店主が少年団に批判されるシーンがあるが、店主はこのように反論する。

「本地とは何だ。香港のことだ。香港の卵のどこがいけないんだ?」

「香港独立」を意味する「港独」という言葉を語ろうものならば、罪に問われかねない空

映画「十年」のポスター

気が近年の香港では強まっていた。独立を語る自由も香港には存在しているはずだが、徐々に語らせない圧力が高まっている。「本地蛋」の監督ン・ガーリョン（伍嘉良）はこう語っていた。

「中国への返還後、ゆっくりですが香港にある重要な価値のあるものが失われています。返還一〇年、あるいは返還二〇年という区切りには大きな意味はありません。継続中の危機であり、「本地蛋」には、国旗や国歌への感動を強要する教育によって、子どもたちを愛国的にさせようとする二〇一二年の愛国教育導入の試みへの批判を込めました。愛国的な子どもたちはもちろん文化大革命の紅衛兵を思い起こしてほしいと考えました」

中国政府にとって思想的に好ましくない本を売っていたため、少年団に卵を投げつけられる書店が登場する。本書第七章で紹介する銅鑼灣《どらわん》書店拘束事件を想起させる。若い書店主に対し、雑貨店の経営者が「この状況に慣れちゃいけない。ぼくらが慣れてしまったから、君たちに辛い思いをさせてしまった」と語りかけるシーンは印象的だ。

ン監督は「どうしてこんなことが香港で起きるのか、という信じられないことばかりがいまの香港で起きています。返還後、自由や権利、司法の独立、言論の自由も保障されていたはずでしたが、どんどん奪われています。映画を撮り終わって、「十年」というタイトルではなく、「今年」でも良かったということを、ほかの監督たちと冗談で言い合いました。それほど、香港の変化は、残念ながら、映画で描いたような悪い方向に向かっています」と語った。

監督たちには上映後、知人たちから「大丈夫か」「仕事が今後もらえなくなるぞ」「気をつけた方がいい」という声が何度もかけられた。映画は多くの称賛を浴び、数々の賞を受賞したが、ン監督は「トロフィーを受け取る気持ちは重いものでした」という。

香港では現状を憂えた政治的な作品が撮りづらくなっている。そして国家安全法の香港導入で、ますます「十年」の世界へ香港は近づく。「インファナル・アフェア　無間序曲」で好演した香港の演技派俳優のアンソニー・ウォンも雨傘運動で中国政府を批判し、メジャー映画から声が掛からなくなった。しかし、アンソニー・ウォンは、メイドのフィリピン人女性と労働災害で障害を負った香港人男性の友情を描いた独立系作品「淪落《りんらく》の人」（原題：淪落人）で香港映画の最高賞である金像奨最優秀男優賞を受賞した。香港映画人の意地を見せる作品はなお作り続けられている。

第六章　日本人と香港

†香港と日本の深い絆

「香港」という港湾・商業都市が誕生した一八〇年前から、日本と香港は意外なほど深いつながりを有してきた。日港関係の歴史を実感させる場所なら香港島の日本人墓地がおすすめだ。競馬場があるハッピーバレー（跑馬地）の小高い丘に一九四五年の終戦以前に香港で亡くなった日本人四六五人が眠っている。娼婦として働いて娘子軍、からゆきさんと呼ばれた女性たちも多い。香港で一山当ててやろうと海外雄飛を試みた明治人もいる。桜も植樹され、春には花を咲かせる。繁華街コーズウェイベイ（銅鑼灣）から徒歩で行ける場所なので、機会があれば一度足を運んでみてほしい。

墓地の中に慰霊塔がある。一九一九年に香港日本人慈善会が建立した「萬霊塔」で、塔の文字は浄土真宗本願寺派の大谷光瑞《おおたにこうずい》の書とされる。大谷光瑞がアジア周遊で香港にも立ち寄っている。「大東亜時代」の香港は日本人にとって重要な役割を持っていた。

明治期、多くの日本人が香港を経由し世界に飛び出すか、世界雄飛の最後に香港を経由して日本へ戻った。明治維新直後の一八七一年に日本を出た岩倉使節団もそのひとつだ。岩倉具視《いわくらともみ》、木戸孝允《きどたかよし》、伊藤博文《いとうひろぶみ》、大久保《おおくぼ》利通《としみち》ら錚々《そうそう》たる明治政府の中核メンバー、官僚、留学生、企業家ら一〇〇人が、新しい国造りのモデルを求めて欧米に向かい、その帰路にインド洋から香港に立ち寄った。香港滞在は短いものであったが、岩倉使節団のメンバーの一人の久米邦武《くめくにたけ》『特命全権大使　米欧回覧実記』を読むと、「ホンコントハ葡萄牙《ポルトガル》ノ語にて海賊ノ謂ナリ」と誤った説が書き残されているのが面白い。

文豪夏目漱石も香港の地を踏んだ。一九〇〇年、ロンドンへの政府派遣留学生に選ばれた漱石はプロイセン号で九月八日に日本を出発した。九月一九日に香港に到着、二日間滞在した。漱石は「阿呆鳥熱き国へぞ参りける」という俳句をしたためている。

当時は日本式旅館が香港島にあった。「鶴屋」という旅館に漱石は滞在するが、大変不潔で休むに耐えられないものだったと漱石は書き残している。

漱石は香港島のトラムでビクトリアピークに登った。トラムの傾斜に大いに驚いたが、降りる時には気分が悪くなって途中下車をした。西洋料理や洋式便所にも戸惑った。香港滞在は楽しいものではなかったようで、友人の高浜虚子《たかはまきよし》に「早く茶漬けとそばが食べたい」というホームシックの手紙を早くも香港から送っている。

†江戸幕府に衝撃を与えた英国の香港島奪取

教科書には日本の近代化の幕開けは一八五三年の米ペリー提督の黒船来航が描かれる。だが、それよりも十年ほど早く、英国の香港島奪取が、太平の安楽にあった江戸幕府に対して、欧米列強のアジア到来を知らせる「ウェイクアップコール」になっていた。

アヘン戦争での清朝敗戦は、当時、鎖国中でも交易のあった清の商人によって江戸幕府にもいち早く伝えられた。「清朝敗れる」の衝撃は大きかった。当時の日本は清朝に朝貢していないとはいえ、中国は大きく、日本は小さいという常識のもと、西洋に清朝が完敗を喫するなど想像の埒外《らちがい》であった。日本が深く認識したのは日本自身の近代化の必要だった。このままだと欧米列強に日本も食い物にされる。「香港を英国に与えれば英国も満足する」と考えた清朝とは違った危機感が日本を覆った。中国では事実上無視された清末の地理書で欧米事情を解説する魏源《ぎげん》の「海国図志」も日本語に素早く翻訳された。

アヘン戦争の情報は幕府上層部の間に秘匿され、一般民衆には広く知られるまでは至らなかった。老中水野《みずの》忠邦《ただくに》は佐渡奉行あての書状で「清国《しんこく》、阿片通商厳禁之不取計《あへんつうしょうげんきんのとりはからわず》より、イギリス人抱不平《ふへいをかかえ》、軍艦四拾艘《よんじっそう》計、寧波《ねいは》府に仕寄戦争、寧波縣一部被奪取候由《うばいとられそうろうよし》」として「自国之戒《じこくのいましめ》」とすべきだと手紙を書いた。佐渡は海防の拠点であったからだ。最後の将軍となる徳川慶喜《とくがわよしのぶ》の実父斉昭《なりあき》は水野忠邦に意見書を出して「近来ハ清国へも手を出候よし、弥《いよいよ》以油断不相成候《もってゆだんあいなさらずそうろう》」と警告を発した。さすがに情報通の徳川斉昭、といったところだろう。江戸幕府は鎖国政策に基づき、日本近海への出現が増えていた外国商船に対して異《い》国船打払令《こくせんうちはらいれい》を一八二五年に発していたが、方針を大転換し、一八四二年には燃料や食糧を補給する薪水給与令《しんすいきゅうよれい》を打ち出した。欧米に対し、介入の口実を与えないためだ。

一八五二年に米国を出発したペリーもまた、大西洋を渡って南アフリカの喜《き》望峰《ぼうほう》を越え、インド・セイロン島、シンガポールなどを経由したうえで、日本の前に香港に立ち寄っていた。その時の経験を「ここにあるのは活気のある風景だと言える。海岸には中国の小船が連なり、港には各国の船舶がひしめき、中国人たちが、道路工事をはじめ、発展していく街に必要なさまざまな労働に精を出している」と書き残している。

この時期は、まさに香港経営に英国が乗り出し始め、建築の槌音《つちおと》が響き渡っていた時期だった。

†香港のペスト禍を救った北里柴三郎

戦前、香港には日本から多くの企業や商社が進出してアジア交易に鎬《しのぎ》を削ったが、歴史に名前を残したのは日本人医師たちだ。香港は狭いところに人口が密集する特殊な土地であるがゆえに伝染病の流行源になりやすい。一九五七年に流行した「アジアかぜ」や一九六八年に流行した「香港かぜ」などの新型インフルエンザ、そして二〇〇二―〇三年のSARSも、香港が流行源か、香港を経由することで東アジアに拡大したとされる。

一八九四年ごろ、香港では原因不明の伝染病が広がった。衛生状態の悪さから深刻化し、二六七九人が罹患《りかん》し、致死率が九五％に達したという。香港当局は日本に助けを求め、日本からは海路で調査医師団が派遣された。率いたのは伝染病研究所の北里柴三郎《きたざとしばさぶろう》だった。

北里は、香港での調査でペスト菌を患者の血液中に発見した。北里チームで、最前線の治療にあたったのが東京帝大医学部の青山胤通《あおやまたねみち》医師だった。自身も危篤状態に陥り、青山の友人であった陸軍の医師森林太郎《もりりんたろう》（作家の森鷗外《もりおうがい》）が、青山の妻に夫の病状を伝えたとされる。一方、北里の支援者であった福沢諭吉《ふくざわゆきち》は調査団のペスト感染を聞くと「北里を殺してはならぬ」と帰国を要請したが、北里は香港でペスト研究を極めて感染抑制の対策を見つけ出し、ペスト根絶に大きく貢献した。明治期の日本にとって、香港は開国で獲得した近代の知見を生かす場でもあった。「黒死病」と恐れられるペストに立ち向かった北里や青山の名前はいまもペストから香港を救った日本人として歴史に刻まれている。

†邱永漢を変えた香港

日本軍の香港占領期については第五章の記述に譲りたい。戦後に話を進めると戦後日本に香港情報を最初に伝えた人物は台湾出身の邱永漢《きゅうえいかん》だった。邱永漢は「金儲けの神様」として経済評論家や投資家として有名だが、もともとは台湾独立活動家であった。台湾で英語教師になったが、台湾独立運動と関わりを持って当局に追われ、一九四八年一〇月に香港に逃亡。一九五四年四月に香港から日本に渡り、独立運動に関わりながら、小説家として日本の文壇にデビューした経歴を知る人はいまの日本で少ないかもしれない。日本で外国人として初めて直木賞を受賞した小説は『香港』というタイトルだった。

邱永漢は、香港滞在時に製薬業を営む名家の令嬢と知り合って結婚した。香港生活は、邱永漢に「国際観」を与えたと思われる。日本の植民地・台湾の現地エリートとして台北の最難関の高校から日本の東京大学に進学、在学中に終戦となり、台湾に戻った邱永漢だったが、その思想的な基盤はあくまでも日本人エリートの体系のなかにあった。

旅券も身分証明書も持たず、裸一貫、無一文で台湾から香港に逃げ込み、廖文毅《りょうぶんき》という独立運動の大物のところに転がり込んだ邱永漢は、香港人の欧米社会への対応が「実に印象的だった」と漏らしている。香港人は英語名を有し、英語も話せるのに、英国人のことを「英国鬼」、米国人のことを「米国鬼」、白人の子供のことを「鬼仔（鬼っ子）」などと呼ぶことに邱永漢は驚いた。「中国こそ文明の中心地であり、中国人以外はすべて野蛮人であり」と記す。香港人の生活態度が「基本的にイギリス人の存在を無視したものであった、といったらわかりやすいだろうか」とも分析した。

英国人はみなビクトリアピークの高級住宅街に暮らし、香港人はそこに住居を構えることを認められなかった。政府の諮問機関である立法評議会は御用紳士だけを揃えたもので、地名や街路名に英国人の名前がついているのに、英国人のことを知ろうともしない香港人のどこか吹っ切れた姿勢に惹《ひ》かれた。

邱永漢は「台湾で銀行員をしていたら、おそらくは生涯知らずに終わったようなきつい経験を次々と積むことになった」と振り返っているが、香港で「究極の自由」を見つけたようだった。香港の本質を「香港には中国にない言論の自由があるけれど、同時に飢え死にする自由も、投身自殺する自由もある」と形容した。弱肉強食だが、競争はすべての人に開かれている。植民地は階級社会で成り立っている。英国人の支配は揺るがない。だが、その下には、生死を賭けたパンクラチオンが永遠に続くような、祝祭的な生き残りの戦いがあることに、邱永漢は魅了されたのだった。

†東大安田講堂鎮圧との接点

戦後の香港は、日本人にとって身近な観光地として知名度が上がったので、一九六七年に香港で起きた「六七暴動」などは日本で詳しく報じられなかったようだ。しかし、一九五〇年代から六〇年代にかけての香港は謀略渦巻く場所で、台湾に逃れた国民党系の組織と共産党系の組織が、縄張り争いやスパイ合戦で火花を散らしていた。

そこに身を置いたのが、当時、日本政府の香港総領事館で警察庁派遣の領事として働いていた佐々淳行《さっさあつゆき》である。警察庁長官時代に後藤田正晴《ごとうだまさはる》官房長官に仕えて、セキュリティの専門家としてメディアで名を馳せた佐々は、六七暴動について、「〝東洋の宝石〟香港は、私が在勤した一九六五年から六八年の時期は、ヴェトナム戦争と文化大革命の余波をうけて、暴動、外出禁止令、英中国境での撃ち合い、爆弾事件と、まさに危機管理の見本市展示場の観があった」「三千人の香港在留邦人を不安のドン底に陥れ、東南アジア諸国ももう香港もお終いかと心配した、あの香港暴動の実情は意外に日本で知られていない」と著書『香港領事動乱日誌　危機管理の原点』に記している。

六七暴動は、佐々の言うごとく、中国の文化大革命の影響を受けた労働組合が大掛かりなストをしかけ、警察隊との衝突が繰り返され、英国が一時香港を手放そうかと思ったほどの大騒動であった。ストの背後には紅衛兵組織がおり、毛沢東や周恩来《しゅうおんらい》などの中央指導部とは違うところで策謀された。この香港暴動をきっかけに、英国植民地政府は、公営住宅の建築、社会福祉制度の強化など香港社会の安定化に本腰を入れる。自由放任をいいことに香港経済から上澄みだけ取る植民地経営が限界に来ていた時期でもあった。

佐々の記録は、香港暴動の全容を日本人の目からとらえた類書のない貴重な記録である。そこで学んだ香港警察の催涙弾によるデモ隊の鎮圧方式を、佐々は日本に打電し、採用を具申した」。結果的に、武士道精神の一対一の対決による制圧にこだわっていた日本警察の過激派対策を抜本的に変えたのである。その詳しい手法を佐々は別の著書『東大落城安田講堂攻防七十二時間』で明らかにしている。

「「火は火花のうちに消せ」という発想で、数十人が不穏な非合法集会をはじめると、その群衆の数倍の警備部隊をさっと配備して威嚇する。戦意を削いで戦わずして勝つという「威力配備」を行い、暴動を未然におさめてしまう」「投石がはじまると、アウト・レインジ戦法を採用し、投石の届かない安全距離をとって対峙し、(略)催涙ガス弾を斉射」

警棒による接近戦、白兵戦方式にこだわり、ヒットアンドアウェイを執拗に繰り返す学生運動に手こずり、投石や火炎瓶で多数の負傷者を出していた日本警察の過激派対処法を、香港から帰国後、警備責任者に就いた佐々が香港式に変革した。それが東京大学安田講堂、あさま山荘における日本警察の勝利につながっていく。佐々は香港暴動での体験を「私の、危機管理人生の原点」だったと振り返っている。

二〇一九年一一月に香港中文大学、香港理工大学で警察とデモ隊の攻防を伝える映像に対し、約半世紀前の安田講堂事件を想起したという声が日本の中から上がったが、本当のところは、香港から日本へ伝授された催涙弾戦術が安田講堂で使われたというのが事実で、今日でも香港警察は六七暴動時代のやり方を踏襲しているのである。

†人口より多く売れたナショナル炊飯器

一九七〇年代になると、日本は高度経済成長を経て家計は安定し、海外旅行が一つのレジャーとして台頭してくる。そのなかで、近くて買い物もできる香港はハワイと並んで旅先のファーストチョイスになった。日本人観光客であふれる香港の姿が週刊誌にしばしば取り上げられた。この時期、香港のビクトリアハーバーから見えるネオンサインの広告の多くが日本製品の宣伝だった。戦争から復興した日本のビジネスが海外に打って出ていく皮切りになったのが、香港であった。

そのなかで、先陣を切って活躍したのが日本製の家電製品だった。香港で日本のナショナル（松下電器産業／パナソニック）の炊飯器が一大ブームを巻き起こしたことは、中野嘉子《なかのよしこ》、王向華《おうこうか》『同じ釜の飯――ナショナル炊飯器は人口六八〇万の香港でなぜ八〇〇万台売れたのか』（平凡社）という書籍に詳しい。私が教えている大学で、たまたま著者の中野・香港大学准教授を招いて講演を聞く機会があり、本書の存在をそのときに知った。

ナショナル炊飯器の普及を紹介する同書によれば、香港人が炊飯器でご飯を炊くようになったのは一九六〇年代だった。香港は中国からの難民流入などで人口爆発の時代。公営アパートに小さな住処を確保して真っ先に買うのが炊飯器だった。直火でご飯を炊く設備がなく、炊飯器は香港庶民の「三種の神器」に躍り出た。衣類を整えるアイロンや、蒸し暑い香港生活に不可欠な扇風機を手に入れ、次は炊飯器という順番だったらしい。

炊飯器は、コメ食日本のオリジナル商品で、日本勢が圧倒的に有利な分野だった。当時の日本は、敗戦からの立ち直りを目指し、産業の復興が始まったばかりだった。松下電器は、冷蔵庫や扇風機など輸出のアイテムを増やしていったが、まずその輸出の実験地が香港だった。香港は「世界のショールーム」と位置付けられ、香港でヒットすれば世界に通じる。香港は欧米とアジアの両方の要素があり、都市人口も一定の規模があり、消費文化も定着している。関税障壁がなく、中国やアジアへの再輸出の拠点にもなった。中国人が香港から大陸へ買って帰るお土産にも、炊飯器は含まれていた。

一九六〇年代から七〇年代にかけて、香港で売り上げた八〇〇万個の炊飯器は、当時、ナショナルが世界で生産した炊飯器のほぼ一割に達していた。「樂聲」という漢字名のブランドで呼ばれるナショナルを覚えている香港人は多いだろう。香港ではすぐに壊れてしまう粗悪品は「日半貨」と呼ばれた。戦前の日本が香港を占領した時代の悪いイメージも込められていた。粗悪品だという先入観と反日感情を乗り越えるにあたって、ナショナルの炊飯器が果たした役割は計り知れない。アジアの多くの国で、日本人よりも日本製品が、日本の戦争の負のイメージからの脱却に、大きな役割を果たしたことが明らかになっている。

ウォン・カーウァイ監督の香港映画「花様年華」でも炊飯器が登場する。チャイナドレスに身を包んだマギー・チャンが、日本から持ち帰った炊飯器にスイッチを入れると、友人たちから「今度日本に行ったら買って帰ってきておくれよ」という声が上がった。映画の時代設定は、ナショナルが炊飯器で香港市場に打って出た頃である。

†一世を風靡した日系デパート

この時期に香港で日本のプレゼンスを示す現象として記憶されているのが日系デパートの進出だった。香港が最初に出店したのは一九六〇年の大丸。当時の香港は地元の小売店や小型デパートが中心であったが、次々と進出した日本の大型店が競合して火花を散らしながら、香港人の消費スタイルを変えた。特に大丸は香港人の共同記憶として刻まれ、「DAIMARU」は一つの文化記号になった。

一九七〇年代から一九八〇年代にかけて、伊勢丹、松坂屋、三越、東急、そごう、ユニー、イオン（ジャスコ）、西友、西武など日系のデパートやスーパーが香港に進出した。香港人は日系デパートを通して、炊飯器に続いて、日本の消費文化に触れた。進出当時は日本で余った品物を香港で売っているというデマも盛んに流された。占領の記憶がよほど悪かったのか、日本人の役柄はいつも悪役であったが、日系小売業は香港社会のライフラインとなり、親日的と言われる台湾を凌ぐ香港での日本食の定着に一役買った。

チャイナマネーの流入で地代が大きく上昇し、多くの日系小売業が香港返還の前後に撤退し、今日でも生き残っているのはそごうぐらいだろう。そごうは日本での存在感は薄くなったが、香港や台湾でののれん自体は第一線で頑張っている。

日本の小売業が香港へラッシュの形で進出したのは、日本のバブル景気とも関係しており、当時は日本企業の海外進出は「世界」を意識した経営者にとって誰もが試みたいビジネスだった。そのなかで、本気で香港に足場を築こうとした企業がヤオハンだった。名前の通り、八百屋《やおや》（青果店）に由来があるヤオハンは、熱海や伊豆など静岡県東部の地方スーパーから一気に国際展開を果たし、世界一五か国に店舗を出す。日本企業の国際化の寵《ちょう》児《じ》となり、あっという間に破綻したヤオハンの物語は、香港抜きに語れない。

†ヤオハンの盛衰

一九九〇年代、ヤオハンの盛衰の真っ只中に身を置いた人に会った。静岡市で中国武術用品のネット通販を手がける高木美恵子だ。高木は中国の大学を卒業し、一九九一年にヤオハンに就職した。二二〇〇人の新入社員を代表して入社式で答辞を読むなど、会社側にも国際化の象徴と期待されるような人材としてヤオハンに入った。

「商社に入ったら四、五年は国内。自分はすぐに外に出たかった」という動機でヤオハンを選んだ高木は日本での研修担当に教え込まれた一言が忘れられない。

「海外へ出たら、自分はめくらでおしでつんぼでいざりだと思え」。差別的な言葉を含んだ非常識な言い方だったが、その真意は、現地スタッフを大切にし、現地の人々と一緒に店を作っていくヤオハン・カルチャーを表現していたのだと高木は受け止めた。

日本中が国際化を叫んだ時代だ。野心と実力を備えた人材が顔を揃えた。高木は日本で一年間の勤務を終えると、いきなり香港へ赴任し、中国に新ショッピングセンター「賽特」をオープンする準備チームに放り込まれた。中国で初めての外資の入った小売りであるが、たった五人がヤオハン側のメンバーで、香港の夜景を見ながら、高木は呆然とした。「当時の北京は夜の八時には街が暗くなりました。この香港の輝きをあの北京に持っていけるのかと思うと、どうなるんだろうと不安になりました」。

一九九〇年に香港に拠点を移したヤオハンは香港の一等地、湾仔にあるコンベンションプラザ・オフィスタワーに入居していた。タワーの最上層部には経営者の和田一夫が使うオフィス兼住居があった。総大理石の立派なあしらいに驚かされた。

和田は、HSBC銀行の会長が返還前に暮らしていた「スカイ・ハイ」というビクトリアピークの超高級住宅も数十億円で購入し、パーティーなどを開く接待場所に使った。

一九九五年、上海・浦東地区にアジア最大級のショッピングセンター「NEXTAGE上海」を立ち上げると上海の副市長から、最初にリスクを取って進出する「ファースト・ペンギン」だと讃えられた。当時まだ開発途上であった浦東で「商業地の一番よいところを一番先に取ってよろしい」という条件をもらったと、和田は著書で自慢している。中国に深入りした和田は「二〇〇〇年、ヤオハンは中国で一兆円企業となる」と書いている。実際はその頃から資金が枯渇し、銀行に見放され、中国で一兆円企業という夢は絵に描いた餅に等しかった。「NEXTAGE上海」の完成を境に、経営悪化が表面化する。

†経営悪化を目の当たりに

「NEXTAGE上海」が立ち上がる前に北京から香港に戻った高木は、広報・秘書担当となり、和田ら経営トップと行動を共にする機会が増えた。忘れられないのは、一九九七年の初めごろ、和田と共に中国銀行タワーを訪ねた時のことだ。

返還を控えた香港において、中国銀行タワーは中国の象徴だった。高さ三六〇メートル。空に突き刺さるような先端部分に最も近い最上階の、特別な賓客のためのレストランに案内され、羊子林《ようしりん》という香港支店総経理（後の中国銀行副頭取）と向き合った。用向きは融資の依頼だったが、高木がよく覚えているのは、通訳に忙しくて料理にありつけなかったことだ。

「アワビの姿煮を食べようと思ったら、重要な話題が始まってしまって、通訳している間に下げられちゃって、タッパーに入れて持ち帰りたいって心の中で叫んでいました」

資金悪化が騒がれ始め、自社の転換社債の返済が滞りかけていた。和田は中国銀行に助けを求めたのだった。高木によれば、羊子林は「ヤオハンは早くから中国に入ってきてくれました」と感謝を述べつつ、融資を認めてくれたという。「井戸を掘った人の恩は忘れない」という日中友好で語られた精神は、この時代はまだ生きていた。

和田の金策は香港最大企業の長江実業グループ創業者李嘉誠《りかせい》ら、財閥のトップにも繰り返され、驚くほどあっさり融資を約束する人々に驚いた。和田が香港で築いた信頼関係は本物だった。

だが、結局、ヤオハンは苦境から盛り返すことなく、破綻に追い込まれ、香港からその屋号は完全に消えた。ただ、香港に乗り込み、中国でも大暴れした流れ星のようなヤオハンの活躍を記憶する人は香港にも多い。高木のような「ヤオハン人材」にはアジア各地で私もよく出会った。現場に強く、話も早く、ヤオハン的な企業文化を残した人々で、スピード感や現場主義は香港や中国の一線で身についたDNAなのだろう。

†カオスに引き付けられた沢木耕太郎

良くも悪くも安定性の高い社会に生きる日本人にとって、弾力的で不均衡な香港社会のあり方は、ある種の人々を激しく引きつける。その一人が若き日の沢木耕太郎である。

沢木は出世作でもある『深夜特急』シリーズの「香港・マカオ」編で、世界旅行に出かけるにあたり、最初の立ち寄り先として香港を訪れた。格安のインド航空のチケットでインドに向かうところで一か所だけストップオーバーできる権利を行使したにすぎなかったが、香港に取り憑かれた沢木は「毎日が祭りのようだった」と書く。訪れたのは一九八〇年代前半。ネイザンロードの安宿に泊った沢木は、テンプルストリート（廟街）など香港の街を飽きることなくふらつき歩いた。

沢木はこんな風にその時の心理を表現している。「その人々の流れに身を委ねながら、私は激しく興奮していた。なぜ自分がこんなに熱くなっているのかわからない。しかし、とにかく、これが香港なのだ。今まで私がうろつき廻っていた場所などは、ここに比べれば葬儀場のようなものでしかなかった。これが香港なのだこれが香港なのだ……」。

沢木の呟きは、おそらく、香港に魅せられた万人の呟きだ。あの喧騒。あの混乱。拒否反応を示す人も、ちょっと歩いて「もう十分」と思う人もいるだろう。沢木がうろついた廟街は香港の入学試験のようなものだ。Ｔシャツも安いわけではない。ケータイ用品もすぐに壊れる。露天の海鮮料理もさほど美味しくない。だが、そこに身を置くと、励まされるような、もっと貪欲に生きろと命じられるような、エネルギーが湧いてくるのである。

沢木は、当初の旅行ビザの滞在期限である一週間がすぎると、イミグレーションに出頭して三〇香港ドルを支払い、延長を繰り返した。やがて沢木は「毎日が祭り」だから香港に取り憑かれているのではないことに気づく。

沢木の語りは、次第に香港の本質に向かっていく。「香港には、光があり、そして影があった。光の世界が眩《まばゆ》く輝けば輝くほど、その傍らにできる影も色濃く落ちる。その光と影のコントラストが、私の胸にも静かに沁《し》み入り、眼をそらすことができなかったのだ」。

セーフティネットは脆弱《ぜいじゃく》で負け組に出口はなく、成功した人の出自も一切問われない。香港の成功者で三代前からお金持ちという人は滅多にいない。ビジネス界の大物代表といえば、一九四一年に父親に連れられて上海から移住してきた李嘉誠である。「大君＝タイクーン」と呼ばれ、アジアナンバーワン富豪の名前を冠せられた人物だが、もともと高校も出ずに家族を養うために働き、最初は香港フラワーと呼ばれた造花作りから現在の地位を築いた。

香港では李嘉誠のような出世物語は珍しくはない。英国統治が始まった時点では人口数千人の漁村に過ぎなかったのだ。中国移民の流入で成り立った香港に貴族・名家の類など存在しない。誰もがゼロからのスタートで激しい生存競争に勝ち抜く必要がある。その分、勝者はまばゆく輝き、敗者にはマイクの前で語る機会すら与えられない。その「光と影のコントラスト」が最も沢木の心をとらえたものだった。

†転がる香港に苔は生えない

沢木の『深夜特急』から一〇年ほど経過して発表されたノンフィクション作家・星野博美の『転がる香港に苔は生えない』も、香港本としては出色の内容である。ノンフィクションというよりは、星野の私的香港生活記録であり、抜群に面白いのは、星野という人間の目に映った返還前後の香港があまりにもリアルであるところだ。

大学時代に香港留学を経験し、日本で過ごしたあと、再び香港に暮らし始めた星野は、九龍の深水埗《しんすいほ》という下町の小さな部屋を借りた。香港社会の典型とも言える人たちとの生活体験をたんたんと綴っていく。弱肉強食が支配するはずの香港だが、星野は「寛容さがあの街にはあった」「短期居住者だった異国の香港より、本来自分が属しているはずの日本で、より疎外感を覚えることがある」と書き綴っている。日本で感じる疎外感が香港にはない。その点は、多くの香港通の日本人にも共感できることだ。

その香港的な感覚を、星野は出会った密航者の言葉を借りて表現する。

「ここは最低だ。でも俺にはここが似合っている」

究極の自由のなかでは人間は無防備では生きていけない。たしかに香港は危険な街である。ただ、同質性を根本価値とする日本で息苦しさを感じてしまう人々にとって、香港は優しい街に思える。香港は中華世界の一部であるが、その運命はヨーロッパの東アジア進出の先兵の役割を負わされた。香港は存在そのものが東西の矛盾を出発点としている。だがそれは香港という得体のしれない都市に欠かせない要素であり、矛盾がなければ香港ではない。矛盾があるからこそ、香港であるというのが、星野の思いなのであろう。

「東洋と西洋、左と右、資本主義と共産主義、個人主義と家族制度、合理性と伝統、考えつく限りのありとあらゆる矛盾を彼らは飲み込み、黙って受け入れるふりをして、まんまと他に類を見ない美味しいスープに仕立ててしまったのである」

星野はそう分析し、彼女の香港論の結論を述べている。

「香港は香港を必要とするすべての人間のもの。そんな客観性をこの街の住人は持っている。それこそ、香港の最大の強みである」

一九八〇年代から一九九〇年代にかけて、香港は日本人、特に女性の海外労働がある種のブームになったとき、働き先として脚光を浴びた。星野の香港論は、ここが日本にとって重要な場所として注目された時代の空気も照射している。

前出のヤオハンで活躍した高木もこう振り返る。

「日経ウーマンなんかが特集を組んだりして、香港で働きたいという日本人女性も多かった。香港に遊びに来る同期の友人も多くて、いつもトラムや飲茶《ヤムチャ》に案内してましたね」

香港で働く日本人女性は一つの現象であった。その時期に香港に住み始めた女性たちは、日本が外に目を向けた時代の最後の輝きを体現していた。その時期に香港に住んだ映像作家の羽仁未央《はにみお》は「私は一目で恋に落ちた。正しくは一息でと云うべきかもしれない」と述べている。羽仁は香港で働く女性たちの映像を、テレビニュース番組などを通して盛んに日本に送り届けた。香港に惚れ込んだ日本人がニュースになる時代が確かに存在した。

†魔都と考えられていた香港

日本における「新書」は、日本が外国のある国に対する関心を図るうえで重要なメルクマールになる。香港を扱った新書は、戦後日本ではたびたび刊行されてきた。最初に真正面から香港を扱った新書は一九四二年に刊行された小椋広勝《おぐらひろかつ》『香港』（岩波新書）である。戦前の国策通信社だった同盟通信の香港特派員だった小椋は、日本軍の香港攻略戦にも従軍記者として参加。その後も香港に残った。

のちに経済学の研究者になるだけあって、小椋の香港記述は歴史の縦軸から社会の横軸まで幅広く香港の本質を描き出す。イギリス植民地香港の形成過程を丹念に通観しつつ、イギリス資本と華人資本の役割、広東周辺諸地域との密輸規模が大きかったこと、日中戦争勃発後の中国富裕層や難民の流入による人口増、日本の中国侵略に対抗して進められた英軍の増強、防空壕・要塞建設など対日戦時体制にも言及しているが、著作の力点は香港経済の分析にある。日本軍の香港占領直後に出版され、内容的にも高いレベルの香港入門書となっている。

同書冒頭の香港の地理的描写は秀逸である。

「支那大陸の最南の大河、珠江河口の東を限る九龍半島が海につきるところ帯の如く狭い海峡を距《へだ》てて一小島が崛起《くつき》している。この小島こそは、過去百年大英帝国の極東経略の中心地たりし香港 Hongkong である」

簡潔にして的確。一文で香港の本質を言い当てている。まさにこの香港の地理的環境が香港の運命を決定づけたのである。

慶應義塾大学名誉教授の可児弘明《かにひろあき》が一九七〇年に刊行した岩波新書『香港の水上居民――中国社会史の断面』は、香港の象徴でもあったサンパンを自在に操って船の上で暮らす水上居民「蜑民」の文化人類学的な価値を取り上げたおそらく初の本格的書籍であろう。蜑民は、香港社会の最下層にありながら、香港のアイコンでもあった。可児は「魔都」のイメージの強い九龍城の研究でも秀でた実績を残しており、香港人が調べようとしなかったテーマを先駆けて徹底研究した日本人研究者として知られている。

†香港返還の出版ブーム

一九八五年刊の岩波新書『香港――過去・現在・将来』の著者の岡田晃《おかだあきら》は、日中国交正常化前後に香港総領事をつとめた外交官だ。上海にあった日本の私立大学、上海東亜同文書院で戦前学んだ。

岡田が香港総領事だった一九七〇年代初頭は、中国が国連代表権を得て常任理事国として国際社会に華々しく登場した時期にあたり、米中・日中関係も大きく動いた。外交官だけあって岡田の中英交渉の記述は詳細で、今日的にも参考になる分析を行なっている。著者自身が外交官として関わった佐藤内閣のもとでの日中復交工作の顚末に関する記述も興味深い。香港の経済界にも人脈を持っていた岡田らしい著書である。

岡田の新書が出版された一九八〇年代の香港は、韓国・台湾・シンガポールと共に「アジア四小龍」と呼ばれ経済発展が目覚ましい場所だった。一九九七年七月一日を期して英国が香港を中国に返還することを決めた中英共同声明が正式に批准された時期にあたる。当時の岡田の香港総領事赴任にあたっての実体験かもしれないが、戦時中に日本軍が発行した軍票の換金を求めるデモ隊や尖閣諸島の中国主権を主張するデモ隊についても描かれている。すでに「デモの街」香港は始まっていたことが伝わる。

一九九七年七月の返還直前に刊行されたのが、中嶋嶺雄《なかじまみねお》『香港回帰――アジア新世紀の命運』(中公新書)だった。中嶋は、戦後日本で最も早くから香港政治研究に打ち込んだ。中国研究を志していた中嶋だが、香港に中国経由で立ち寄ったのをきっかけに、香港の面白さに引き込まれていった。その出会いをこの本で中嶋はこう描いている。

「九龍半島側のメイン・ロードであるネイザンロード(彌敦道)を南に下っていくと波止

場があったので、おのずと私は埠頭に立った。すると、それまでかすんでいた霧が一斉に晴れ、雨も上がって、眼前にヴィクトリア湾を隔てて、香港摩天楼とヴィクトリ・ピークがまさに私自身を圧するかのように現れたのである」

人々が香港に魅せられる理由には、この圧倒的な視覚的ショックの絶大な効果がある。数えきれないほど香港を訪れたという中嶋はこの著書で香港の将来について悲観的な論調を展開し、香港が今後も現状を維持してさらに発展し、香港の人々が明るい未来のなかに躍動していくかどうかについて「根本的に疑問である」と書く。香港を愛した研究者としての愛惜もあったかもしれない。返還後しばらく政治的にも経済的にも順調に推移していた香港情勢を受けて、中嶋の予想は外れたかに見えたが、現在の情勢をみれば、共産党という政権の本質に目を向けていた中嶋ならではの慧眼だった

中嶋には大著『香港――移りゆく都市国家』（時事通信社）もある。一九八五年刊であり、私が香港留学に携行したのは中嶋『香港』と可児『香港の水上居民』の二冊であった。

同じく返還直前のタイミングで出版されたのが、東アジア近現代研究者の浜下武志《はましたたけし》『香港――アジアのネットワーク都市』（ちくま新書）である。華人、金融、移民などの観点から香港と日本、東南アジア、南アジアとの地域交流史に焦点を当てた点に特徴がある。香港を相対的に眺め、そのネットワークのハブとしての重要性を浮かび上がらせる。

岩波新書は先に紹介した小椋本、岡田本を含めて「香港」をタイトルにした新書が三冊ある。三冊目は、香港政治研究者の倉田徹と香港出身の社会学研究者である張彧暋《ちょういくまん》との共著『香港――中国と向き合う自由都市』である。雨傘運動の余燼《よじん》がくすぶる二〇一五年に刊行された。二〇一九年の抗議行動にあたって、香港の人々が何に対して抗議を行い、一国二制度がなぜ「危機」に瀕しているのか、適切な解を示してくれる。香港問題の解決には香港そのものへの理解が大切であることを前面に打ち出しているのが特徴で、「日本人は（香港という）難解な書の精読を放棄して、返還後の香港を、あまりに中国の一地方都市という視覚からのみ語りすぎていなかったか」という問題意識には共感できる。

これらの著書を見ていくと、香港論には主に三つのアプローチがあることがわかる。

一、香港を一つの共同体空間として、その内部におけるシステムや事象を中心に香港を捉えようとするもの
二、大英帝国（英国）や中華帝国（中国）の一部という政治枠組みや東西冷戦の局面から香港を捉えようとするもの
三、中国や東南アジアなど、周辺地域との連携や地域圏内で果たしている役割から香港を捉えようとするもの

香港返還以前は二と三の要素が強かったが、最近は一を中心に、二と三を絡めて論じる香港論が主流になっている。本書もその系譜に入るだろうか。返還以前の香港は「英国の香港か、中国の香港か」という香港の属性が問題主体であったが、雨傘運動以降は「香港か、中国か」という香港自身の性質を問う方向にアプローチが変わりつつある。

かつての台湾論が中台関係や国共関係の中の台湾論であったところから、台湾そのものを論じることに重きを置く台湾地域研究へシフトしたことを想起させる。人間の知の営みは、現実から出発するしかない。香港の現実が香港研究の姿を変えている。

†層の厚い日本の香港研究

これまで見てきたように、日本には、香港の政治や文化、歴史についても、分厚い知の実績がある。その点を実感したのは、台湾の「国家図書館」を訪れて、香港関連の書籍を探そうとしたときであった。同じ中華圏なので、香港情報に関する書籍がたくさん見つかると期待していたが、見事に裏切られた。学術論文を含めて一九九〇年代以前の資料はほとんどなく、返還前後に本格的とはいえないような書籍が数冊出ているだけだった。その理由を知人の台湾人研究者に尋ねてみると、こんな答えが帰ってきた。

「民主化以前の台湾では、香港問題を客観的に分析することはあり得なかった。香港返還という中華民国体制にとっては望ましくない事態を前提に研究することになるからだ。民主化後は、台湾は中国との距離が遠のいたが、同じタイミングで香港は中国に返還され、中国に近づいていったように見えて、台湾人の政治的関心の圏外になってしまった」

香港が台湾人の政治的関心の圏内に入ってきたのは二〇一四年に台湾のひまわり運動と香港の雨傘運動の同時発生したときであり、「中国の圧力にどう立ち向かうか」という共通の課題に向き合うようになってからである。そのため台湾には、まだ香港についての知的蓄積が圧倒的に少ない。前出の倉田徹は、台湾だけでなく、実は香港自身ですら香港研究が盛んではない理由を、筆者との対談でこう述べている。

「世界の学術研究では、英語圏の学術雑誌にどれだけ論文が載るかによって評価される傾向があります。世界中から注目されるものを書いた方が引用されやすいので、中国やアメリカといったテーマが選ばれやすく、香港研究は不利。台湾で香港研究が発展しない理由も、おそらくそこでしょう。一番苦しんでいるのは、当の香港です。香港は国際化を重視する都市なので、大学の国際ランキングの上位を狙うわけですが、ランキングは学者の評価によっても左右されるので、結局、英語雑誌に載った論文の本数が大事ということになる。香港社会が香港研究を許さないのです。日本は幸いこうした学術評価がそこまで幅を利かせてはいません。アジアで多様な研究ができる環境が整っているのは、もはや日本だけかもしれません。そういう意味で、日本が香港研究をしなければならないという義務感があります」(「フォーサイト」二〇一九年一二月二七日)

重要性が高まる香港問題について、日本はどのような知的貢献ができるのか。香港を伝えることにおいて、日本に課された役割は日本人が想像するよりずっと重い。

第七章　台湾の香港人たち

✝香港情勢が蔡英文の追い風に

二〇一九年の香港情勢によって最大の影響を受けた香港外の場所はどこであろうか。それは紛れもなく台湾だった。最大の受益者は誰であろうか。台湾の蔡英文《さいえいぶん》総統である。もちろん、他人の不幸を味方につけた、と指摘するつもりはさらさらない。香港情勢が台湾政治と連動した結果、大きな追い風が、彼女に吹いたのである。

蔡英文政権は二〇一八年まで、再選は不可能だと言われるほど、低迷を極めていた。同年一一月の統一地方選で歴史的敗北を喫し、蔡英文は党主席の座から退く。二〇二〇年の総統選は蔡英文では戦えない、といった声が政界に溢れた。

それから一年。二〇二〇年一月一一日の夜、総統選で蔡英文は史上最高得票で勝利し、民進党は同時選挙の立法委員選で過半数を制した。蔡英文と民進党は、香港に救われたと多くの人が感じた。同時に、香港もまた、台湾の選挙に救われた。

一国二制度の「敗北」が、台湾の民意で明確に示されたからだ。選挙前の半年あまり、苦しみ、傷つき続けた香港の人々にしてみれば、溜飲を下げる思いだったに違いない。香港のメディアも台湾選挙に大挙して押し寄せ、一面トップで結果を報じた。

香港は、台湾に対する「一国二制度のショーウィンドウ」と呼ばれた。だが、香港で示された一国二制度の迷走は、逆に、台湾の人々に強烈な危機感を植え付けた。一国二制度を通し、台湾と香港は「運命共同体」になったとも言えるだろう。

筆者は、ともに中国周縁部に位置する台湾と香港が脱中国に向けて「共鳴」を起こしていることを、二〇一四年の台湾ひまわり運動、香港雨傘運動の発生時から感じてきた。一月一一日の夜は、その共鳴が最高潮に達した瞬間でもあった。両者は、中国から「一国二制度」という同じ問題を突きつけられて、強国路線を掲げる習近平体制の風圧を受けながら、「私たちは中国とは違う」「香港は香港（台湾は台湾）」というアイデンティティ意識が高まっている。同じ境遇の両者が接近したのは不思議なことではない。共通性が特に浮き彫りになり、香港に関心を抱く台湾人、台湾に関心を抱く香港人、それぞれが一気に増えた。

私は、香港にも台湾にも生活経験があり、両地に知人も友人もいる。元々はお互いに関心は薄く、否定的感情が強かったように思う。それが今回、香港と台湾はまるで兄弟のように近づき、励まし合い、香港での区議会選挙のオール民主派の勝利や、台湾での総統選の民進党の勝利を、互いが喜びあう姿に隔世の感を覚えた。

本章は、香港と台湾の交流にスポットを当てながら、両地の連携を実態面で浮かび上がらせることを目的としている。歴史的、構造的な香港・台湾関係については、二〇一九年一二月に刊行された共著『香港危機の深層――「逃亡犯条例」改正問題と「一国二制度」のゆくえ』で詳述しており、参照していただきたい。

†台湾に移った書店店主

「台湾はいいなあ。物も安いし、生活もしやすい。ご飯も美味しい。いま好きなのは自助餐（台湾式ビュッフェ）。おかずをなんでも自由に選んで安く食べられるから嬉しい」

会うなり台湾を褒め始めた。そして表情が明るい。以前、香港での告発記者会見での陰鬱な表情とは全然違う。世界を騒がせた銅鑼灣書店関係者の拘束事件から四年。店長の林《りん》栄基《えいき》は、私と会った時に、書店の再建を目指して台北の街で奔走していた。

「表情が明るいですね」というと、当たり前だ、という感じで、にっこりと笑った。

「香港ではずっと気分が苦しかった。台湾では尾行にも気を付けなくてもいい。いつまた捕まえられるか怯えていた。それにもうすぐ書店が開けそうで嬉しい」

約束した場所は台北の都市鉄道MRT中山駅。私は駅の三番出口で待っていた。林栄基がここを指定した理由はすぐにわかった。「やっといい物件を見つけたんだ。まずそこに行こう」。三番出口のすぐそばにある雑居ビルに向かった。「もうちょっとで店をオープンできる」と林栄基は話を続けた。寡黙な人だと思っていたのに意外だった。一〇階のボタンを押し、エレベーターを出て一番奥の左側にある部屋に入った。

中には何もなく、床に線が何本も引かれ、細かい文字も書き込まれている。本棚の配置を考えていたのだ。林栄基は「これは他人に頼めないから、自分でやるしかない。」と呟きながら、巻尺であちこちのサイズを測り、白いチョークで床に字をせっせと書き込んでいる。三〇分ほどで終わり、部屋を出た。この日、業者に本棚を発注するらしかった。玄関の白い壁の前で「ここに看板をかけるんだ」と手で看板の大きさを示して見せた。「店名は?」と聞くと、「ご想像の通りだよ」。台湾でも「銅鑼灣書店」を用いるのだ。ここに至った経緯を考えると新書店の名前はそれしかないだろう。

†台北に新書店をオープンへ

「香港の書店も、新しい書店も、繁華街の真ん中で、雑居ビルの中にあって、店を出たらすぐに日本のデパートがある。香港はそごうで、台北は三越。不思議な縁だ」

香港の銅鑼灣書店は名前の通り、商業地区の銅鑼灣（コーズウェイベイ）に位置し、店の前には、デパート（そごう）のビルが構えていた。周囲には、若者や観光客が行列をなす飲食店が並ぶ。香港のどこにでもある雑居ビルの二階や三階に入居する小型書店の一つだった。

「ただ香港と違うところもある。家賃が台湾はずっと安い」

そういって林栄基はまたニコニコした。

私たちが会ったのは、台湾総統選の投票まであと二週間というタイミングだった。林栄基は二〇一七年から二〇一八年にかけて、台北きっての繁華街の西門町で書店を開こうとしたが、家賃が高くて断念した。

「西門町だと一か月四万元（一五万円）。ここはその半分ぐらいで借りられる。香港はもっと高いけれど、この物件は本当に安い。こんな便利な場所なのにありがたい」

林栄基が店を出す場所は、台北の中山北路と南京路の交差点近くにある。近くにはデパートの新光三越だけでなく、台湾きっての一流ホテルのリージェントや、数年前に日本から進出したホテルオークラもある。そんな場所が一か月二万元前後なのは確かに安い。

台北の地価は東京並みだが、家賃は、感覚的に東京の半分ぐらいだ。台湾では一般の物価と地価が乖離し、家賃でコストを回収する発想がない。家主も、家賃は管理費用の延長線上ぐらいにしか考えていない。借りる方としてはありがたいことだが、不動産価格が上がらないと買い手は大損で景気にも響く。

「自分は書店しかできない人間だけれど、書店のことならだいたいはわかる」

深く帽子をかぶってマスクをしている林栄基の顔をのぞいてみると、深い奥行きのある瞳をしている。書店一筋の人生を歩んできた。無類の読書家でもある。一九九四年、銅鑼灣書店を立ち上げた。その前は老舗の大手出版社にいた。書店こそ自らの一生の仕事と決めていた。銅鑼灣書店は日本でいえば「新宿書店」のような名前で、事件さえなければ、知る人ぞ知る小さな書店の店主として一生を終えただろう。

銅鑼灣書店の親会社「巨流傳媒」は出版ビジネスも手掛けていた。中国に関する暴露本や内幕本を売っていた。香港でそうした本は街頭の露天で売られている。共産党の内部事情であるが、信頼性の判別がつかない「香港情報」の一部であった。内幕本は表現の自由が制限されている中国にファンが多く、彼らに郵便で直接本を送ることも書店の大きな収入源になっていた。出版人としては理想の本ではないと認めつつ、林栄基は「我々だって商売をしないといけない。ひどい本でもいい本でも読者が読みたいといえば売るのが書店のつとめだ。ひどい本もいい本も売っていた。一〇〇冊のなかに一定数の良書が入っていれば、書店としての役割は果たしていると思っている」と語る。だが、それが林栄基の運命が暗転する原因となった。

†関係者を一斉拘束

中国当局の「作戦」は二〇一五年一〇月に発動された。

巨流傳媒の総経理である呂波《ろは》、社員の張志平《ちょうしへい》が一四日に中国で拘束された。一七日にはタイにいた巨流傳媒株主の桂民海《けいみんかい》、そして二四日に中国での仕事を終え香港に戻ろうとした林栄基が拘束された。最後に、店の経営を担当していた李波という女性が一二月三〇日、香港の倉庫へ本を取りに行ったところで、行方がわからなくなった。

これが「銅鑼灣書店事件」の顚末である。林栄基の連行先は中国・浙江省《せっこうしょう》の寧波《ニンポー》だった。独房におかれ、「一生ここにいたいのか」と怒鳴られる厳しい取り調べが続き、罪を認める多くの書類にサインさせられた。容疑は「違法な出版」だった。中国で本を売るためには免許がいる。それに違反した、ということだ。

やがて広東省の韶關《しょうかん》という街に移され、小さな公団住宅で暮らした。図書館で本の出し入れの仕事を割り振られた。携帯も支給された。GPSで位置を把握するためで、常時携行を命じられ、担当官から時々連絡が入った。図書館では仕事があるわけではなく、「一時間働いたら帰っていい」と言われた。余った時間は川べりで本を読んでいた。

香港で「スパイ」になれと要求され、サインをした。「選択肢なんかない。そうしないと生きていられないんだから」。香港に戻って書店の顧客情報、つまり内幕本を買っていた中国人のリストを取ってくるよう命じられた。ほかに道はないと諦めていたが、香港で自分に関する報道を読み漁ると、「なんて多くの人が心配してくれているのか」と驚いた。民主党の元主席である何俊仁《かしゅんじん》（アルバート・ホー）に連絡し、告発の記者会見を開いた。

一躍、有名人になったが、香港ではもはや書店を開けない。自分の背後も気になった。また連れ去られるのではないか。逃亡犯条例改正が成立すれば自分は真っ先に狙われる可能性もある。改正の法案が提出されると、迷わず台湾へ飛んだ。

†悪夢を見る

今の状況が続く限り、香港に戻るつもりはない。台湾で精神的には落ち着いたが、時々、悪夢を見るという。

「三人の黒い服を来た男たちが自分に向かって歩いてくるんだ。私は、逃げたいが逃げることができない。どんどん近づいていく。後ろからも誰かが近づいてくる。動けないんだ。そこでおれは大声で叫んだ。なんて叫んだと思う？　本当なら「綁架（人さらい）」だろ？　でも叫んだのは「打劫（泥棒）」だったんだ。夢から覚めたら汗だらけだ。恐怖は心の中に沈んで見えなくなっても、こんな形で浮かび上がってくる」

林栄基は、取材の間、常に前後左右の人々の言動を気にしていた。この数年の経験がそうさせているのかと聞こうとしたが、無粋だと思ってやめた。

拘束事件に対する林栄基の見解は、世間のそれとは少々違う。

書店の出版部門は習近平国家主席の女性問題を扱った『習近平と六人の女たち』という本の出版を計画していたが、習近平の逆鱗《げきりん》に触れて「越境」による逮捕という強硬手段に出た、という見方が多くのメディアで語られた。しかし林栄基の受け止め方は、中国による香港の「全面管轄権（全面的統治権）」の実施に向けた計画的行動だったというのだ。

全面的統治権とは二〇一四年に中国政府が発表した「香港白書」で初めて提起された。中国政府が香港に対して聖域なく最終決定権を有するとの意味だ。二〇一八年の中国政府の活動報告でも触れられ、「港人治港」（香港人による香港統治）の文言が削除された。

「中国共産党には、天安門事件の反省があった。改革開放で、経済的豊かさだけでなく、自由思想の流入が起き、学生たちは共産党に民主を要求した。彼らは香港から中国への自由思想の流入を止めることを狙っている。全面的統治権の導入から、香港ではいろいろな事件が起きた。私たちの書店だけではなく、批判的な勢力はすべて弾圧されていった」

林栄基によれば、逮捕後、書店は中国政府の影響力の強い企業にすでに買い取られていた。その手続きを李波がやらされ、本人も最後の逮捕者になったのだという。

「まさか李波も自分まで逮捕されるとは思っていなかったはずだ。すべて（中国の）計画通りに着々と手を下されている」

林栄基の話だけでは、書店の拘束事件が本当に香港への全面的統治権の発動なのか、それとも暴露本への偶発的対応なのか、判断は難しい。しかし、事実として、この事件が香港社会に与えた衝撃は絶大だった。拘束された五人のうち四人は香港籍の人物で、李波などは香港から中国へ連れ去られたと見られる。一国二制度の基本設計である司法権の独立が侵害されたわけで、返還後初の事態に社会は騒然となった。逃亡犯条例改正反対運動の高揚の背後に、この事件での「連れ去り」の実例があったのは大きかった。

林栄基は台湾のＮＧＯが手配した一室に住んでいる。書店が開業したあとは書店に住み込むつもりだという。香港でも拘束前の数年は妻と諍いがあり、家を出て書店に住み込んでいた。書店こそが林栄基の世界なのである。

開店のための資金はクラウドファンディングで約六〇〇万台湾ドルが集まった。

本の冊数は前の書店では二万冊だったが、新書店ではスペースの関係で九〇〇〇冊ぐらいしか置けない。本のセレクションには力を入れたい。売りにしたいのは、香港に関する書籍だ。「普通とは異なる視点を持った本」にもこだわりたいと語った。

「他人と違う考え方を示していない本には存在理由はない。でも、いい本は一〇冊に一冊ぐらいしかない。そういう本を探し出して、私の書店に置きたい」

林栄基氏

†香港の将来には悲観的

香港から台湾へ逃亡した若者に、台湾政府は一定の便宜をはかっており、香港へ送り返すことはしていない。そうした若者たちが時々林栄基のもとに相談に訪れる。かける言葉は、あくまでも冷静で、現実的だ。徹底的に痛めつけられた経験からくるのかもしれない。

「まず安全を確保し、ここでの生活を安定させ、ゆっくり考えればいいとアドバイスしている。間違っても香港にすぐに戻ろうなんて考えないほうがいい。家族が会いたければ一時間のフライトで台湾に会いに来られる。中国語も通じる。生活費も安い。米国やカナダに移民するなんてあとでいい。香港の運動の先は読めない。望んでいる結果を出すのは難しいかもしれない。香港は中国に飲み込まれていく運命にある」

台湾の総統選挙は香港情勢の後押しで民進党の蔡英文総統が劣勢から一気に挽回した。どうして台湾の人々がこれほど香港情勢に関心を持つのか、林栄基は「香港は台湾統一のための橋頭堡《きょうとうほ》になる。台湾が香港に関心を持たないでいられるはずがない」と指摘する。

「大陸はまず香港を先に自分たちのものにして、次に台湾を手に入れようとする。香港を支持しなければ自分たちが危険にさらされる。彼らの生存本能がそうさせているんだ」

ただ、台湾の将来についても、林栄基はそこまで楽観的ではない。

「台湾はもう民主選挙を三〇年も経験し、何度も政権交代も起きている。米国と同じだ。米国の民主党と共和党のように、台湾にも民進党と国民党がある。それなのに米国のように台湾は安定していない。それは歴史の清算ができていないからだ。白色テロや美麗島事《びれいとう》件（高雄《たかお》事件）、二二八事件をしっかりと検証し、決着をつけていない。香港人として、その問題について、新しい書店を発信基地として伝えたい」

†台南の町に香港の拠点を

政治家には実力プラス運が必要だ。台湾総統選で圧勝した民進党の蔡英文総統は、今風に言うと「持っている」人である。中国が推す国民党は総統選、立法委員選の両方で敗北を喫した。ただ、民進党を選んだことを台湾社会に後悔させる戦略を、中国はしっかり練り上げていたはずだ。ところが、武漢発の新型コロナウイルスの大流行により、中国自身が未曾有《みぞう》の危機に見舞われ、台湾へ「制裁策」を講じる余裕はなくなった。

逆に、台湾の新型コロナウイルスに対する対応能力の高さが世界から称賛された。台湾を世界保健機関（WHO）にオブザーバー参加すらさせない中国の姿勢は疑問の目を向けられ、台湾に同情が集まる結果になった。

中国にとって、最大の圧力になる中国人観光客の削減も逆に台湾から入国を拒まれる形になり、制裁としては無効化されている。二〇一九年に中国が打ち出した「恵台政策」の目玉として台湾の若者の中国就学・就職を優遇するプログラムも当分は実施困難であろう。

こうした流れの出発点はやはり香港情勢を抜きに語れない。「今日の香港は明日の台湾」という危機感を示す言葉が、台湾では流行語にもなった。

「台湾を香港のようにしてはならない」と台湾で立ち上がった香港人の鐘慧沁《しょうけいしん》という女性に台湾の南部、台南で会った。香港警察が逮捕した女性の学生らにレイプなどの性暴力を振るっていると告発された件に話が及ぶと、鐘慧沁は思いがけないたとえを持ち出した。

「『ロード・オブ・リング』って映画あるでしょ。そのなかで、半獣人たちがいて、大きな目に操られている光景があるのね。いまの香港警察はそうした状態じゃないかって思うのよね。半獣人で、人間の心は失ってしまっているのよ」

私は、残念ながら「ロード・オブ・リング」シリーズは一度も見たことがなかったが、なんとなく言わんとすることのイメージは伝わった。

鐘慧沁が香港から台南《たいなん》に移住して一年が経った二〇一八年七月、香港料理をランチで食べられる喫茶店「蝸篆居（Swirl By Swirl）」をオープンした。

「私もあなたも同じ世代よね。七〇年代とか八〇年代の香港警察は英雄だって映画でいつも見せられてきたから信じられないだろうけど、彼らはもう中国政府の傭兵のようになっていて、私たちの想像力では理解できない人たちなのよ」「私も雨傘運動でデモに参加していた。せいぜいマスタードガスをかけられるぐらいかなって思っていたけど、いまは立っているだけで殴りかかってきて、逮捕するのよ。親たちが、子供を海外に逃したいって思うのは本当に理解できるわ」

暮らしていた香港では、雨傘運動以来、民主派に対する政府の圧力は日増しに強まった。ただ、香港に嫌気がさして台湾に来たわけでない。

鍾慧沁は香港で育ち、名門・香港中文大学で宗教学を学んだ。卒業後は、出版社や大学で働いた。収入は悪くなく、貯金もでき、物価の高い香港でも問題なく暮らしていた。ただ、労働の対価として給料をもらうだけの生活に疑問を感じ、自分でお店を開き、有機農業の安全な作物で得意の料理を出したい夢にとりつかれた。

鍾慧沁氏

「ずっと悩んでいたけれど、雨傘運動のあとにやっと決心がついて。香港だと協力してくれる農家を探すこと自体が難しいし、コストも高い。台湾にきてみようと思ったの」

台北や高雄なども検討したが、台南は、伝統や文化を大切にしている古都で、物価も台北などに比べて高くない。自宅兼店舗にできるいい物件も見つかった。

移住した年、台湾で地方選挙があり、国民党が圧勝した。焦りが募った。なんとかしないといけない。二〇一九年四月、台湾の高雄で「一国二制度」に反対するイベントが開かれた。たまたま「香港の話をしてほしい」と集会に招かれ、マイクを握った途端に、気持ちがコントロールできなくなり、ひざまずいて叫んでいた。

「お願い、台湾は香港のようにならないで」

†対中国の代理戦争

台湾に移住した香港人は多いが、香港との二重生活をしている場合もあり、政治的な発言は控えがちだ。鐘慧沁の発言は注目され、多くのメディアに紹介された。

それから二か月後、逃亡犯条例改正の反対運動が始まった。自分は台湾にいる。台湾で何かしたい。そう思っているとき、台中にいる台湾人の音楽家から連絡が入った。

「あなたの発言をメディアで知りました。何かお手伝いはできませんか」

自分の店で演奏会を開いてもらい、香港情勢についてお客も一緒に語り合った。それから、香港問題に関する講演会や報告会を開く「場」になり、「台湾を守りきれたら、香港にも希望がある。台湾を守りきれなかったら、香港はもうおしまい」と訴えている。

思いが伝わっている手応えはあるが、まだまだと思うこともある。彼女の見方では、台湾の三分の一の人たちは香港に対して、十分に危機感を持ってくれている。次の三分の一は、香港とは台湾は関係ない、台湾は中国と戦争さえならなければいいと考えている。基本的に前者は民進党の支持者で、後者は国民党の支持者だという。

「あとの三分の一の人たちは中間派。彼らにどうやって香港のことを考えてもらうか。だから、私はいつもこういうことをみんなに言っているの」

スマートフォンの待ち受け画面から、「你的歳月靜好 不過是有人替你負重前行」という言葉を見せた。「あなたは静かに暮らせているのでしょうが、誰かがあなたのために重荷を背負ってくれているのです」という意味だ。香港の勇武派が最前線で警察と衝突し、民主派や市民が彼らの努力に思いを馳せることを指している。台湾の人々にも香港が台湾の代わりに戦っていると感じて欲しいと、鐘慧沁は言う。香港が日本に代わって中国と向き合っていると考えることはできないかと、私の思考まで問われている気がした。

鐘慧沁にとっても、香港の現場にいないことがたまらなく心苦しい。ただ今は、香港から離れた台南の地で自分の役割を果たすことを心掛けている。

「香港から台湾にきたこと自体が大きな冒険だった。手元の資金も余裕があるわけじゃないの。でも、いまこうして台湾から香港を支えていることで、自分の行動には価値が生まれたと思っている。彼らと一緒にいるような気持ちになれる。香港にいたら、そう思えていたかどうかわからない。だからとてもいまは幸せよ」

私と会ったあと、鐘慧沁は台南市で開かれる台湾基進党の選挙集会に向かった。若者たちを中心とする政党で、ひまわり運動のあとに誕生した「天然独」世代の政党である。南部を中心に地方議会で勢力を伸ばしており、二〇二〇年の立法委員選挙で比例区の議席が取れる五％以上の得票を目指していた。

「民進党もいいけれど、基進党は思い切ったことをやってくれそうで中国に対抗する意味では民進党と同じ立場だけれども、民進党を監督するという政党が育ってほしい」

鐘慧沁は台湾の選挙権を持っていた。台湾で国籍を取得してから四か月で、立法委員の選挙権を持てるが、半年が必要な総統選挙は間に合わなかった。立法委員選挙では基進党に入れるが、総統選では「もちろん蔡英文よ」と笑顔が返ってきた。取材の後に行われた選挙で蔡英文は当選し、基進党も立法院で議席を獲得するなど躍進した。

二〇二〇年の春、日本から彼女に電話をかけた。新型コロナウイルスで香港との往来も制限がかかり、香港と台湾の絆は薄れてしまったようにも思える時もあるが、香港に対する台湾人の思いについては「疑ったことはない」という。

店では、台湾の食材を使って香港庶民料理の炊き込みご飯「煲仔《ボウジャイ》」をメニューに入れるようになった。台湾の食材で香港の味を作り出したい。お客さんが求めれば、香港の話もたっぷり説明する。それが彼女なりの「時代革命」なのだろう。

「もう毎日くたくたで、疲れすら感じている暇がないのよ。台湾に来てから、気づいたら一五キロも痩せていたわ」。電話越しに明るい声で彼女は語った。

†長期的な「観察者」として

香港も台湾も出発点は中国の辺境地域であった。領土としての価値を見出し、近代化の中で育て上げたのは英国と日本だ。英国と日本は第二次大戦で敵同士となった。中国と英国はともに連合国の一員で、連合国の勝利で台湾は中国が接収し、香港は英国の植民地に戻った。一九九七年に香港は返還され、中国は、その次は台湾だと目標を定めている。

香港人と台湾人は、外見的にあまり変わらない。言葉は香港人の広東語と台湾人の北京語あるいは台湾語という違いはあるが、同じ中国語系話者なので、習得度は高い。台湾では、台湾人か香港人か判別がつきにくいほど適応している香港人に時々出会う。そういうとき、香港と台湾の近さを実感する。そんな香港人が、台北で会った蔡正彦《さいしょうげん》である。

蔡正彦の北京語はほとんど完璧に台湾化していたが、大人になるまでは香港で育っただけあって、香港の広東語の香りが少しだけ伝わってくる。例えば「有」を発音するとき、普通語は「ｙｏｕ」といい、広東語は「ｙａｕ」となる。台湾生活が長く、日々北京語をしゃべっていても、香港人はついつい「ｙａｕ」になってしまう。蔡正彦もそうだった。

蔡正彦氏

蔡正彦は高校を卒業した二〇〇〇年、台湾に渡った。嘉義《かぎ》にある東華大学で生命倫理を学ぶ。卒業後はソーシャルワーカーの仕事についた。いまも、民間の支援団体のもとで、台湾高雄の原住民の集落で貧困家庭の子供たちを支援している。

蔡正彦には二つの「国籍」がある。香港の中華人民共和国香港特別行政区のものと、台湾の中華民国のものだ。香港、台湾どちらにも投票権がある。大学卒業後に中華民国籍を取得したので、徴兵制で台湾軍に二年間いた。中国と香港、台湾の法的関係は複雑極まりなく、日本人からすればわからないことだらけだ。

†ひまわり運動、雨傘運動に両方参加

蔡正彦は香港、台湾の両地で政治活動に参画している。二〇一四年は台湾のひまわり運動にも香港の雨傘運動にも参加した。台湾選挙も香港選挙も投票に行く。台湾の投票先はいつも民進党だ。「中国の実態を考えれば、国民党に入れることなんてありえない」とい

う。

二〇一九年一一月に香港で行われた区議会選挙では、香港の天水圍《てんすいい》という選挙区に立候補した民主派の候補をボランティアで応援した。その候補者は当選して、勝利の喜びを味わってからすぐに台湾に戻った。それから二か月後の二〇二〇年の台湾の総統選では、なんの迷いもなく、民進党の蔡英文に投票した。

台湾に初めて来たときは香港より経済的に遅れていると感じた。香港人の台湾へのイメージは「政治家がいつも国会（立法会）で殴り合いをしている」というステレオタイプ的なものばかりで、一方の台湾人も香港への関心は薄く、「香港人も繁体字を使っているのか」と驚かれた。台湾人にとって香港は買い物とビジネスの場所。「ソーシャルワーカーの給料は香港のほうがいいのに、なんで台湾にいるの」とよく聞かれた。

「台湾では、雨傘運動のときは正直、ちょっとした抗議行動が起きているという程度の認識しかない人たちが多かったですね。あまり周囲と語り合うことはなかった。それが本当に変わったと感じたのは今回のデモです」

自分が香港からきた人間とわかると、「若者にあんな風に暴力を振るうなんてひどい」と台湾の人々が同情してくれた。香港と台湾の人々の意識が初めて本当の意味で繋がったと感じるようになった。

台湾ともともと縁があった。父親は香港人だが、母親は台湾人だ。父親は香港で国民党兵士たちが集落をつくっていた調景嶺《ちょうけいれい》という地区の国民党系の学校に通っていた。台湾とつながりができ、台湾の学校に通って母親と知り合って結婚してから、香港に戻った。家庭の中で台湾の要素が強かったので、台湾に暮らすことに抵抗はなかった。

経済都市の香港から来てみて「台湾では政治の重要性を啓蒙された」と話す。ソーシャルワーカーの仕事は常に社会の矛盾に向き合う。不公正な制度や仕組みの問題点を政治主導で改善する民主主義の意味を思い知らされた。二〇〇八年には、台湾中部の苗栗で民間の土地が政府に強制収用され、抗議行動が行われたときも参加した。

「政治が自分たちの生活を乱すことも知りました。人は政治には関わらざるをえない。だったら政治に主体的に関わったほうがいいと考えるようになりました」

香港ではこの二〇〇八年を境に、中国との関係に矛盾が目立つようになる。二〇一二年の反愛国教育運動、二〇一四年の雨傘運動。中国が香港から何かを奪っていくような流れに、蔡正彦の中で香港への不安が高まり、台湾政治にも関心が高まった。

†中国に依存はできない

二〇一九年、どうして香港と台湾が近づいたのか。蔡正彦はこう思う。

「中国に依存してしまったら、香港のようになる。「今日の香港は明日の台湾」は、台湾の人たちの本音だと思います。一国二制度が、香港と台湾の気持ちをつなげたのです。香港のようになっちゃいけないと台湾の人たちに思ってもらえた。香港人の私にとって残念なことですが、同時に、嬉しいことでもあります」

蔡正彦によれば、香港では、中国に返還後、三つの階層が、親中派として中国に取り込まれたという。それは経済界と低所得者、そしてメディアだった。経済界は政治に口を挟まない代わりに、進出してくる中国企業との「合作」に忙しい。中国での投資案件にもありつける。「商人治港」はそんな構図を作り出すことになった。

香港では、自由を謳歌していたメディアが返還から時間をかけて徐々に親中色に染まっていった。ウェブ時代になって部数が下がる新聞は、広告で締めあげられると弱い。低所得層には様々な利益誘導で旨味を与えている。台湾でも同じことが起きていると日々感じている。香港に親中派は四割いる。台湾でも国民党の得票率は四割。彼らは、メリットがあるから中国と仲良くした方がいいと考える人々だ。すべてを否定はしないが「台湾らしさや香港らしさを失ってまで中国と付き合うべきではない」と考えている。

民進党への疑問もないわけではない。台湾への逃亡を希望する香港人活動家に対する難民法適用には慎重で、香港側の不満を招いている。

「国民党系の人たちは「あんな暴徒は受け入れるべきじゃない」と反対している。民進党系の人たちは「中国のスパイが紛れ込んだらどうするのか」と慎重になっている。どちらもそれなりの理由があるのはわかる。でも、台湾は自分たちが「アジアの民主の灯台だ」と誇っているのだから、どうしてそんな考え方が出てくるのか問いたい気持ちにはなる」

ただ、台湾で長く暮らしている蔡正彦にすれば、そんな正論とは別に、台湾の政治も複雑な利害関係の中で動いており、一筋縄ではいかないこともわかる。

「執政党の立場からすれば、何か問題が起きた時、一気に結果責任を問われることになる。ようやく民進党は逆転した形勢になったのだから、香港に同情的な声明を出してくれているだけでありがたい。ダブルスタンダードとまでは言えません」

香港と台湾の将来はどうなるであろうか。最後に尋ねた。

「相対的には悲観的です。一一月の区議会選挙でも、民主派が圧勝したように見えますが、得票率は、民主派が六割で、親中派が四割です。将来、中国の経済成長が鈍化し、現在のパワーを失っていくまで、香港も台湾も圧迫される状態が続くかもしれません」

二〇二〇年九月の立法会の選挙は必ず投票に駆けつける。香港と台湾の両地をまたいで「親中」に抵抗する行動は続く。実は、蔡正彦の母親も、台湾人であるが、香港人の夫の死去後も香港が気に入って定住している。「彼女は私よりすごい。勇武派の若者たちと一緒に街頭に出て、バリケードを作ったり、警察を罵ったりしている」と笑った。

逆に、自分は香港より台湾のほうが住みやすくなった。

「郵便局でガムテープがないとき、台湾では「はいはい、いいよ」という感じでガムテープを貸してくれるけれど、香港では、下に行って買ってきて、と言われる。台湾では、知り合いに政府の偉いさんへ電話してもらうと大体のことは解決しますが、香港ではダメなものはダメ。私はゆるい台湾の方が居心地はいい」

台湾と香港が距離を縮めた背後には、両者の間を黙々とつなぐ蔡正彦のような人々がいる。台湾と香港の連動現象からは、今後も目が離せない。

四月二五日、台北で銅鑼灣書店がオープンした、というニュースが、台湾から流れてきた。あの何もなかった部屋は本でいっぱいになっていた。林栄基は開店直前に知らない男から嫌がらせで赤ペンキをかけられる被害を受けたという。メディアの取材に「台湾でも書店を開くことで、抵抗を続けたい」と語っていた。書店の壁に「光復香港（香港を取り戻せ）」という旗がかけてあった。中国の民主化や香港政治などに関する本をそろえた。

開店から一か月ほどして、香港に対する国家安全条例の適用が全国人民代表大会（全人代）で発表された。それからまもなくして、蔡英文総統が店を訪れた。林栄基と面会し、抗議デモに参加した香港人で、当局の摘発を恐れて台湾へ避難を求める場合を、政府がいままで以上に前面に出て保護・支援していくことを表明した。

蔡英文総統は「政府でも議論を始めました。政府のサポートする力をもっと大きく、レベルアップしたいと思います。行政院にチームをつくって対処します」と伝え、林栄基は「民主的な政府と独裁政府のどこに違いがあるか、私たちもよくわかっています。香港人は台湾の友人と一緒に頑張りたい」と応えた。七月には台湾政府内に香港問題窓口が設置された。

国家安全法が香港で厳しく運用されるほど、台湾に逃げ込む香港人はさらに増えるだろう。新しい銅鑼灣書店は彼らの抵抗と安息の拠点になるはずである。

第八章

中国にとっての香港

†孫文を育てた香港

現在の香港問題は、突き詰めて言えば、中国問題である。

中国が習近平体制になり、目に見えて、香港情勢が悪化した。単なる偶然と言い切ることは難しい。その理由について、習近平が香港に対して誤ったアプローチを取っているためだと仮説を立てた場合、基本となる中国の香港認識が重要になる。その香港認識のどこに問題があるのかを理解すれば、現状への処方箋も見つかるだろう。そんな観点から、過去から今日に至る「中国にとっての香港」を本章で考えてみたい。

中国の近代史は、香港抜きには語れない。清王朝が倒れた辛亥革命（一九一一—一二年）から一〇年余を経た一九二三年、革命の父・孫文は「私の革命思想はすべて香港で生まれた」「香港と香港大学は、私の知性が誕生した場所である」と語った。講演が行われた香港大学の前身は西医書院であり、孫文が医学に接した場所だった。

幼少期に移住したハワイ・ホノルルから、故郷の広東へ戻る途中に初めて香港に立ち寄った若き孫文は、発展を遂げた香港に感動する。英国統治下の香港と祖国中国のギャップが、清朝打倒＝革命の必要性を強く認識させた。一九二三年の演説でこう述べている。「三〇年前に香港で学び、暇を見ては市内を歩き回り、秩序、建築の美、進歩的な仕事ぶり、いずれも強い印象を持った。外国人が七、八〇年で荒れた島をここまで見事に変えられる。中国は四〇〇〇年の文明がありながら、香港のような場所は一つもない。なぜだ」

香港は秘密の革命工作にうってつけの場所だった。治安は英植民地政府が握り、清朝は手を出しにくい。中国とのネットワークがあるので、人集め、金集め、蜂起の立案にも都合がいい。一九二四年の最後の訪問まで、孫文が香港を訪れた回数は数えきれない。

ハワイで革命組織「興中会」を立ち上げた孫文は、香港に組織の中核を置き、革命運動に駆け回った。興中会のアジトがあったスタントン（士丹頓）通りにはいまも「興中会」という名前のレストランがある。興中会跡地を含め、孫文ゆかりの地は香港島西部に集中しており、孫文史跡めぐりや記念館もある。孫文の足跡は、台湾、南京、広東、さらに日本の神戸や東京でも追えるが、革命家の孫文を知るには、香港が最適な場所である。

生涯にわたって孫文のスポンサーとなった実業家・梅屋庄吉《うめやしょうきち》との出会いも香港だった。香港で写真店を経営する梅屋は孫文の革命思想に心を打たれ、「君は兵を挙げたまえ。我は財を挙げて支援す」と約束し、孫文の死去まで物心両面で支え続ける。

香港が中国革命揺籃《ようらん》の地となったのは、中国であって中国ではない、東洋であって東洋ではない香港の両義性が、過去の中国を覆し、新しい中国を作ろうという革命家たちの目的意識に、ぴったり合致していたからだ。

†香港に固執した蔣介石

その孫文に私淑《ししゅく》した蔣介石は孫文の後継者を自認した。北伐軍司令官として、孫文ができなかった中国全土統一を成し遂げた。蔣介石は、香港を英国から取り戻すことに固執《こしゅう》した。孫文が唱えた不平等条約の解消は、蔣介石も生涯をかけて取り組んだ。

蔣介石は太平洋戦争終盤において、香港の回収を画策する。連合軍の勝利が濃厚となり、国際秩序の再構築をめぐる駆け引きが始まるなか、米国は香港に対する中国の主権回復に協力的だった。だが、当事者の英国は一切の譲歩を認めなかった。蔣介石は妥協案として、割譲した香港島と九龍は後回しにし、「九九年間」の租借地である新界のみの返還を提案したこともあったが、「香港問題は議論せず」という英側の姿勢を崩せなかった。

米ルーズベルト大統領は米中連合軍による香港の開放と戦勝後の香港返還を英チャーチル首相に勧めたが、チャーチルは「香港は英国の領土だ。奪った日本から英国が取り戻さなければならない」と主張し、拒否する。一九四三年のカイロ会談で「戦後、香港は連合国管理の国際自由港にする」という蔣介石のアイデアにルーズベルトも同意したが、英国は頑なに応じなかった。英国人は、香港に対して決して深い知識や愛情を抱いているわけではない。だが、戦術的拠点として維持するこだわりは持っていた。

論理的には、日本の降伏時点で中国地区は連合国の中国戦区が接収を担当するべきで、中国戦区の最高司令官は蔣介石である。しかし、英国は八月一六日に「英国は香港の主権を有する」と宣言し、艦隊を早々に香港へ出発させた。蔣介石は米国に抗議したが、大統領が蔣介石に好意的だったルーズベルトからトルーマンに代わっていた。トルーマンはソ連との将来の戦いを意識して英国支持に回り、蔣介石の要求を退けた。蔣介石も共産党との戦いが控える英米と決裂できなかった。

香港日本軍の降伏文書には受諾側に二つの名前がある。英国政府代表の英海軍ハーコート少将と中国戦区最高司令官の蔣介石だ。蔣介石が見せた意地の痕跡だが、英国の香港復帰の事実は変わらなかった。

帝国主義によって奪われた香港を取り戻すという「理」は蔣介石の側にあっただけに、譲歩に譲歩を重ねた蔣介石の内心は憤懣《ふんまん》やるかたなく、香港を取り戻すことができなかったことを「新たな恥」と日記に記している。

†毛沢東の「長期打算、充分利用」

第二次大戦後に始まった国共内戦で共産党が優勢となると、今後は「香港解放」が起きるかどうかという事態になった。共産党は蔣介石が逃げ込んだ台湾の「解放」を叫んでも、香港奪還を急いではいなかった。現在の中国は、香港返還は長年の悲願であったと表現することが多いが、一九四九年一〇月、人民解放軍は香港との間の深圳河を越えるだけで「解放」が実現する局面もあったが、軍に南下の指示は出なかった。

毛沢東の香港政策は「長期打算、充分利用」の八文字で表現される。すぐには香港を解放せず長期的に利用する。香港の特殊地位の活用、英国との関係強化、台湾解放を優先するなどの政治的打算があった。毛沢東は一九四九年一二月に面会したソ連の使節に対して「香港・マカオの問題は急いで解決する必要はない。それより香港・マカオ、特に香港の従来の地位を利用し、対外関係、貿易関係を発展させた方が有利である」と述べている。

英国政府に対しては、香港を反共活動の活動拠点にしない限り、香港返還は先送りにしても構わないとの意向を示していた。その見返りに英国は、西側主要国で最も早い時期にあたる一九五〇年に中華人民共和国の国家承認を行った。蔣介石より毛沢東ははるかに現実的だった。その後の朝鮮戦争への参戦で国際的孤立を深めた中国が、香港経由で多くの物資や資金を確保できたことを考えれば、毛沢東の判断は正しかった。

香港に対して、中国も必要な手は打った。一九七一年に国連加盟を果たしたあと、国連の「脱植民地化特別委員会」で、「非自治領土」のリストに入っていた香港をリストから外させた。当時の国連の規定でリスト国は自決権が認められ、住民投票による独立や委任統治による将来の独立を求める権利があった。旧植民地が次々と独立を勝ち取っていた時代、中国は独立のリスクをつぶして香港を保全した。

†鄧小平のプラン

「長期打算、充分活用」で香港を英国領のまま活用することを選んだ毛沢東に対し、鄧小平は香港を英国から取り戻したうえで中国経済の発展プランに組み込むことを考えた。中英交渉の際、フォークランド紛争(一九八二年。英国とアルゼンチンがフォークランド諸島の領有権を争った)を勝利に導き、政治家として最盛期にあった英国のサッチャー首相を交渉でねじ伏せて、香港一括返還を実現したことは中国の現代史に燦然《さんぜん》と輝く鄧小平の功績だ。香港島や九龍などの「割譲」地と、新界の「租借」地は、本来法的に区別して扱われるべきだというのが英国の立場であったが、解放軍の派遣カードをちらつかせ、九龍や香港島まで返還に含めさせた。

鄧小平は、天安門事件のあと、改革遂行に消極的な江沢民や保守派に業を煮やし、一九九二年に中国南部を視察しながら重要な声明を発表する「南巡講話」を敢行する。江沢民には出発さえ知らされなかった。香港のテレビだけは鄧小平の動向を追い続け、武漢で「誰不改革、誰不下台（改革しない者は辞めろ）」と言い放って北京を震え上がらせた。この南巡講話によって改革開放の加速ムードが一気に醸成されたのである。

なぜ鄧小平は南へ向かったか。南には広東省、深圳、その先に香港があったからだ。深圳は、鄧小平が推進した改革開放の成果を示す最適の場所であり、深圳の存在理由は香港の資本主義との一体化であった。南巡講和で鄧小平は深圳市の幹部にこう述べた。

「君たちが、深圳を「社会主義の香港」に変えていくというのはいいことだ」

鄧小平以外は言えない大胆な言葉であろう。「中国的特色をもった社会主義」は今日でも使われる重要概念であり、鄧小平思想の中核でもある。その中国的特色とは市場経済の導入で、当時の中国には市場経済イコール香港という意味があった。当時は「中国の香港化」を懸念する声もあったほど香港の影響力は大きかった。

鄧小平は一九八四年、英国のジェフリー・ハウ外相と会談した際、英国が香港ドルの地位を動揺させるべきではないこと、土地売却収入を日常の政府運営に使うこと、政府官僚の給与や退職金をむやみに増額しないこと、過渡期に政治統治の指導者を育て上げないこと、英国系企業が資産を持ち去らないことの「五つ」を避けるよう要求した。返還後も香港経済を中国が活用できるようにして欲しいとの思いが滲み出ている発言である。

鄧小平の銅像を生地の四川省広安市と深圳で、それぞれ見たことがある。ゆったりと椅子に腰掛ける四川の鄧小平銅像に比べて、立ち上がって号令を発する深圳の鄧小平は「改革の総設計師」の姿そのものだった。鄧小平の目には、香港のように発展し、超近代都市に生まれ変わった深圳の姿が映っている。その香港をうまく利用することが、毛沢東から鄧小平まで一貫した共産党の基本スタンスだったが、特に鄧小平は「白猫であれ黒猫であれ、鼠を捕るのが良い猫である」（不管黑猫白猫，捉到老鼠就是好猫）という発言のように、香港が中国に経済的利益をもたらせてくれれば、香港が資本主義でも社会主義でも一向に構わないという流儀だった。

もちろん、越えられない明確な一線が引かれていることも鄧小平自身は明らかにしている。一九八七年に香港基本法起草委員会の香港側メンバーと面会したときの発言だ。

「例えば一九九七年の後、香港で中国共産党を批判する、中国を批判する、私たちはそれを認めるだろう。しかし、もし行動に訴えることがあり、香港が民主の旗頭のもとに大陸に反対する基地になった場合、どうするか。関与しないわけにいかない。介入といっても最初は香港の行政機構が関与するもので、大陸の香港駐留軍が出動するわけではない。動乱、大動乱が発生したとき、駐留軍が出動する。介入はしないといけない」

動乱という言葉を使った点は、二年後に起きる天安門事件を連想させる。鄧小平は「動乱」には解放軍を動かすことも辞さない思考を持っていた。だがまさか本当に天安門広場へ解放軍を入れるとは、その決断をした鄧小平すらこの時は想像できなかっただろう。

その鄧小平は、世紀の式典となった香港返還を見届けることなく、この世を去った。返還まで半年を切っていた。あと一踏ん張りで、自らの歴史的偉業を目の当たりにできたというのに、歴史は冷酷だ。

†香港を特別扱いした中国指導者

中国の指導者は、香港という体制内異物の扱いについて、妙味に富んだ比喩でその極意を言い表してきた。最も有名なのは鄧小平の「馬は走り続け、ダンスは踊り続ける（馬照跑、舞照跳）」だ。香港名物の競馬はギャンブル禁止の中国ではあり得ないものだ。ダンスも資本主義の文化的腐敗の象徴であり、当時の中国で受け入れがたいものだった。

中英共同声明が一九八四年に出され、香港では将来への不安が広がった。鄧小平は香港基本法起草委員会メンバーに対し、「香港は一九九七年に祖国に戻ったあと五〇年間の方針は変わらず、それは我々が作る基本法も含め、五〇年は守り続ける。もっと言えば、五〇年後も変わる必要はない。香港の地位は変わらない。香港政策も変わらない。香港では、馬照跑、舞照跳、資本主義のライフスタイルを維持できる」と語ったと言われている。現在まで、中国の香港に対する姿勢を示す名言として歴史に残った。

共産党政治局常務委員だった李瑞環《りずいかん》は、一九九五年三月、全国政治協商会議の港澳《こうおう》委員小組（港澳とは、香港とマカオのこと）の席上で香港についてこう語ったという。

「ある貧しい老女が市場で先祖伝来の宜興紫砂《ぎこうしさ》の小さな急須を売っていた。二〇〇年は使ったもので、茶しぶのおかげで茶葉を入れずとも、水を注げば茶の香りがする。ある商人が三両の高値でこれを買いたいといった。老女はこんな高額の割には、急須が古すぎると心配になり、水でしっかり洗い直した。買い手が再び急須を手にとったら、中の茶しぶはすべてなくなっており、商人は五銭の価値もないとつぶやいたそうだ」

宜興は中国江蘇省にあり、陶都と呼ばれるほど陶業が盛んで、特に紫砂で作られた急須は中国茶の愛好者であれば誰もが一番に推すものだ。当時は中英間で、香港の新しいトップの選び方などについて激しい対立が起きて、共産党内には強硬論も広がっていたが、李瑞環は温和な解決の道を探ろうと呼び掛けた。茶垢とは、香港の利点である。香港の価値が分からない人物をトップにつけると、香港の利点は失われてしまうとの警鐘だった。木工職人出身の庶民派で知られた李瑞環らしい味のある言い回しだ。

天安門事件のあとに鄧小平に抜擢された江沢民はもう少し硬い表現で、香港と中国を井戸水と河水に例えた。一九八九年、中国共産党総書記のポストに就いた江沢民は、英国首相特使に対してこんな話をした。「一国二制度の問題において、私はかつて香港の多くの商工界の人々や特別行政区基本法起草委員会の委員と会ったときにこんなたとえを使った。それは「井水不犯河水（井戸の水は河の水とは交わらない）」だ。その場にいたある香港人はよくわからない様子で「井戸水は河の水と交わらないが、河の水は井戸の水を犯すはずだ」と言ったんです。私はこう答えました。このたとえには続きがある。「井戸の水は河の水と交わらないし、河の水は井戸の水と交わらない」がより正確なのです」。

井戸は香港、河は中国で、メッセージは中国と香港の「相互不干渉」を保つべきだという距離感だ。利用価値を認め、無理に一体になろうとしない、という意味である。

その後も、江沢民は内部の会議で、中央政府の各部門は香港内部事務に関与してはならない、と厳しく言い続けていたとされる。鄧小平の敷いた香港政策の路線、つまり「二制度」に十分に配慮した「一国二制度」に従っていたことを意味している。

香港問題について胡錦濤時代になっても江沢民は影響力を保っていた。香港経済界との人脈も江沢民派が握っており、資金源でもあったと言われている。歴代の中聯弁トップは江沢民と近い人物が起用されていた。

江沢民の次に総書記になった胡錦濤は、転換期の香港問題と向き合った。この時期の中港関係には明るさと暗さが同居していた。「中港融合」が進んだと自信を深めた中国だが、二〇〇三年に香港基本法二三条に基づく治安立法の手続きを香港政府が進めたことに反発した市民が五〇万人規模のデモを行い、法案を廃案に追い込んだ。

衝撃を受けた胡錦濤政権は香港経済と中国経済の一体化でさらなる「中港融合」を進めようとした。その効果もあって香港経済は活況を呈し、北京五輪で香港の愛国意識も高まった。胡錦濤指導部は、香港の普通選挙を二〇一七年までに実施することを認める決定を行うなど、香港の民主にも一定の理解を示した。

†中国人の香港憧憬

歴代中国指導者による香港への「特別配慮」の背後には、広大な中国人民の香港に対する憧憬と尊敬があったことも忘れてはならない。

中国人の香港愛がピークに達したのは一九九〇年代だった。強いインパクトを与えたのが、アイ・ジン（艾敬）という歌手が歌った『我的一九九七』である。アルバムがリリースされたのは一九九二年。アイ・ジンの作詞作曲で、ギター片手に弾き語りで自分の人生を振り返る内容である。センチメンタルでもあり、中国の若者の未来志向も感じられ、中国だけで五〇万枚を売り上げ、香港返還を象徴する曲となった。

中国人が香港返還を待望していることを表現する歌であるが、この歌の「南下」の概念に引きつけられる。中国地図を北から南へ、アイ・ジンの人生は流れていくのである。

中国東方地方の遼寧《りょうねい》省《しょう》出身の少女（アイ・ジン）は北京の歌劇学校で学び、上海に行き、広東省の広州に流れ着く。香港人男性と知り合い、恋仲になり、まだ見ぬ憧れの地について「香港よ、香港よ、どんなところなの」と想像をめぐらす。

当時、中国人は容易には香港に行けなかった。一方、改革開放で必要とされた多くの香港人は中国で生活していた。アイ・ジンはサビで「一九九七、早く来てよ、ヤオハンってどんなところだろう、一九九七早く来てよ、香港にそうしたら行けるから」と切なく歌い上げるのである。

南下は、中国の改革開放で重要な概念になっていた。前述のように、南下を体現したのは最高指導者・鄧小平の南巡講話だった。『我的一九九七』のリリースと鄧小平南巡が同じ年だというのは偶然でもあり、必然でもあった。巨大な中国を変えていくのは南から。その理由は中国の最南端に、改革開放の理想モデルの香港があったからだ。

中国の改革・開放戦略は、その香港からヒト・モノ・カネを吸い上げる深圳を、経済特区に指定して新興都市として香港色に染め上げ、そのモデルを逆に北上させていくことだった。中国各地で建設されたショッピングセンターは、どこも香港のそれとそっくりである。中国に都市開発でショピングセンターの建設ノウハウを伝えたのは香港人だったからだ。北京・王府井《ワンフーチン》にある中国最大級のショピングセンター「東方新天地」は、香港トップの経済人、長江実業グループの創業者の李嘉誠と中国企業による共同事業である。もちろんノウハウは長江実業から提供された。その後、中国の各都市にこの東方新天地を模したスタイルのショッピングセンターが次々と建設された。

アイ・ジンもそうだが、アーティストのアンテナは大衆の心理を巧みに探し当てる。中国を代表する映画監督ジャ・ジャンクー（賈樟柯）は自らの作品に香港要素を入れてくることで知られている。それは彼の内面に香港が埋め込まれているからだ。

ヒット作「帰れない二人（原題：江湖兒女）」で劇中を流れるのは広東語ポップスの女王、サリー・イップ（葉倩文）の名曲「浅酔一生」である。テレサ・テンの歌が中国人の共同記憶であることは有名だが、サリー・イップらの広東語ポップスも同様だ。テレサ・テンの流行は一九八〇年代が中心で、九〇年代以降は広東語の歌が中国を席巻した。

自らの青春時代を映画のモチーフとするジャ・ジャンクーにとって「香港」は外せない存在だ。山西省《さんせいしょう》の田舎育ちのジャ・ジャンクーは香港で暮らした経験はないが、私とのインタビューで香港についてこう語っている。

「中国に香港の流行歌が入ってきた時期、私は大人に成長しました。私の中に根付いた香港文化は根源的な記憶であり、それに対する深い感情は断ち切ることができない。だからいつも映画のなかに香港が出てきてしまうのです」

香港に関する共同記憶の持ち主は今の中国の五〇代ぐらいまでであろう。大国化した中国の下で返還後の香港だけを知るいまの世代は「香港は中国の一部」という建前論に染まり、経済や文化で改革開放初期を支えた香港への感謝や愛情が総じて乏しい。

†改革開放「第一の功臣」

経済においても、香港は「改革開放の第一の功臣」と呼ばれた。

鄧小平が一九七八年一二月に開催された中国共産党第一一期中央委員会第三回全体会議で改革開放を打ち出し、真っ先に中国に入ったのは香港企業だった。中国最初の合資企業は、一九七九年に登記された北京航空食品公司であった。機内食を提供する企業として今日でも「北京航食」の呼び名で活動を続けている。香港からの投資は「港資」と呼ばれ、中国全土で威力を発揮した。中国商務部の統計では、改革開放から二〇年間における香港企業の直接投資は二六万件、三〇八五億米ドルに達し、外部からの投資のおよそ四割を占めた。八〇年代まではおよそ八割の投資が香港経由だったというから驚きである。

香港にもメリットがあった。造花の香港フラワーなどで名をはせたのは一九七〇年代まで。物価も上がり、土地の狭い香港は製造業の発展に限界がある。メイドインホンコンからメイドインチャイナへ、時代は移り変ろうとしていた。改革開放は香港が製造業の上流に位置取りを変えるチャンスであり、中国は香港のフロンティアになった。

香港企業が編み出したのは「前店後廠《ぜんてんこうしょう》」というスタイルである。前店が香港で、後廠が中国のこと。店は販売、廠は工場を意味する。言い換えれば「中国で製造し、香港で販売する」方式である。香港が商品の設計・管理・販売を行い、中国の生産基地で製造する。最初は深圳、広東など珠江デルタ地域を中心に展開され、長江デルタなどへ広がった。

中国が世界の工場となるノウハウは香港企業から生まれた。台湾、日本や欧米などの企業も追随した。日本や米国の企業が香港に今も拠点を置き、対中ビジネスの窓口にしているのは、香港経由が最も効率的かつ安全であるという判断があるからだが、中国ビジネスを知り尽くした香港人の経験と知識には取り替えの効かない価値がある。

一九八〇年代から一九九〇年代にかけて、香港はまさに中国にとって「金の卵を産むガチョウ」であった。同時に、香港にとっても対中ビジネスで産業構造転換を実現し、さらに豊かになっていくウィン・ウィンの中港関係が存在した。

†不思議な通貨「香港ドル」

その中港経済で重要な役割を果たしたのが香港ドルだ。中国の人民元とは生まれも仕組みも異なり、今日でも人民元と香港ドルは連動していない。香港では町中で普通に人民元と香港ドルが交換される。一国二制度のキモの一つである「二つの通貨」である。

ポンドを使う英国の支配下にあった香港でなぜ通貨が「ドル」になったのか。香港ドル成立の過程は非常に複雑だ。香港領有後、英国政府は何度もポンドを法定通貨にしようと試みたが、メキシコドルやスペインドルなどドル系銀貨が強さを発揮し、叶わなかった。中国が銀本位制をとっており、ドル系銀貨が歓迎されたからだ。英国も現実を受け止め、ドルを法定通貨とし、一八九五年に香港上海銀行、一八九五年にチャータード銀行、一九一一年にマーカンタイル銀行（現在は香港上海銀行、スタンダード・チャータード銀行、中国銀行の三行）にそれぞれ紙幣発行権を認め、外国通貨の流通禁止を定めた。

戦前から香港は自由港として発展するなかで中国の対外交易の窓口となり、中継・決済地の地位を確立する。それにともなって、香港ドルは半国際通貨、あるいは、地域決済通貨として台頭した。日本の占領終了後もすぐに香港ドルは復活、香港は戦後久しく東アジアの銀行業の中心を担った。海外の華僑から中国へ流れる資金はまずは香港ドルに交換された。ベトナム戦争、カンボジア紛争など、インドシナの混乱が続いた一九六〇年代から一九七〇年代にかけては、東アジア・東南アジアで香港ドルは米ドルに次いで強い通貨だった。この時期、香港ドルのおよそ四分の三は香港外で流通していたと言われている。

広東省を含めた中国の南部「華南」でも流通し、香港経済の対中優位の象徴でもあった。新中国成立後から一九七〇年代にかけて、中国からは食料品が陸路で「国境」を越えて香港に毎日運ばれた。豚の鳴き声が聞こえる九広鉄道の貨物列車は人々の記憶に残っている。香港は慢性的な水不足状態にあったため、中国から香港へ水の輸出も行われた。こうした取引の代金は、香港に進出している中国系銀行を通して香港ドルで決済され、中国にとって貴重な外貨源となり、日本などからの輸入品の支払いに回されたのである。

英国経済の凋落があって香港ドルは米ドルとのペッグ制になり、一九七〇年代になって自由相場制に移行した。中英交渉で返還が決まりそうになると、香港ドルの信用が揺らぎ、一九八三年に「ブラックサタデー」と記憶される暴落が起きて、香港政庁は米ドルペッグ制を再び採用。市中流通と等価の米ドルを金融当局が保持して保証される形となり、一米ドル＝七・八香港ドルに固定された。その後、香港返還、アジア経済危機などを乗り切ることができたのは米ドルとのペッグ制が機能していたからだと評価されている。

返還当初は等価であった人民元とのレートが次第に人民元高になっていることもあり、人民元とのペッグにしてはどうかという議論もあるが、人民元は国際通貨ではないので現時点の実現性は低い。人民元と米ドルとの間を自在につなぐ香港ドルの役割は、香港そのものの立ち位置を見事に象徴していると言えるだろう。

†深圳の香港超え

中港経済関係のバランスが崩れ始めた始まりは二〇〇三年だった。SARSの流行による香港経済への打撃と、香港基本法二三条の反対運動を受けて、中国は経済と政治の両面で、香港へのテコ入れを決意し、香港社会での親中派形成に力を入れるようになった。香港への観光客の「自由行」を認め、中国人観光客で景気を底上げした。香港の街は中国人であふれ、土産物屋や貴金属店、ホテル、レストランが潤った。サービス業の依存度が高い香港では相当に大きなインパクトを与えた。チャイナマネーの流入で香港経済はさらに不動産依存が高まり、イノベーション力は失われていった。その中で、香港を追い抜く形で成長してきたのが香港の隣にある深圳である。

深圳はもともとは人口数千人の小さな漁村に過ぎず、シンガポール、韓国、台湾と並んで「アジアの四匹の龍」と呼ばれた香港の眼中になかった。香港返還のころ、香港は中国の〇・六%の土地で、中国全体のGDPの二〇%を稼ぎ出した。現在の香港の対中GDP貢献度は三%に過ぎない。香港が縮小したのではなく、中国が巨大化したのであり、急成長を遂げた深圳との差も一気に埋まった。

香港の財界は「欧米重視」の雰囲気が強く、深圳を香港の下請けと見下していた。ところが、香港の女性経済記者に聞くと、最近の財界の話題は「深圳はすごいらしいね」「人材が深圳へ香港からどんどん移ってしまって困る」という話が多く、様変わりしたという。「香港人にとって深圳は「泡脚（足裏マッサージ）」のために行く場所だった九〇年代までのイメージでした。香港のエリートは深圳に注目しようとしませんでした。でも、ようやくここ何年か、自分たちが追い抜かれつつある、という実感が生まれてきました」

二〇一八年、深圳の域内総生産は年率七・六%の成長率を記録し、総額は二兆八七〇〇億香港ドルに達した。香港は二兆八五〇〇億香港ドルだった。数年前から予想されていた深圳の香港越えである。北京、上海、広州に並ぶ巨大都市に成長した深圳の人口は、公式には香港と変わらない七〇〇万人とされているが、外来労働者を含めた実質人口は二〇〇〇万人を超えているとも言われる。深圳の優位性はイノベーション力でも評価されている。

香港がもたついている間に、深圳が「東洋のシリコンバレー」の地位をさらい、深圳には中国のテック企業が無数に存在する。SNSを牛耳るテンセント、通信機器大手の巨人・ファーウェイ、ドローンで世界の圧倒的シェアを握るDJIなど多くの一流企業も深圳に本社を置く。

香港では、英国統治以来の伝統である金融のオープンなシステムや法治はいまなお健在で、外国企業も安心してビジネスが営める。ただ、香港人がかつての猛烈な創業者精神を失いつつあり、中国経済に依存する心理が強くなっていることも事実だろう。

深圳の成長を反映して、香港の抗議デモに対する反動として中国で提起されたのが香港不要論だった。香港の重要性は低下し、香港の機能は上海、深圳、あるいはマカオで代行できるという議論だ。しかし、金融面で香港の役割はなお大きい。

二〇一八年の香港経由の対中直接投資は、九六一億米ドルで、中国全体の四分の三を占めている。中国企業の域外株式上場は、香港株式市場が八割を占めた。中国企業が香港で発行する米ドル建て債権の発行額は七二三億ドルで中国企業の域外債権発行額の六四%を占めている。中国にとって、香港が最大のオフショア人民元取引センターであることは言うまでもない。中国人のお金持ちが香港に預けている資金は三兆億米ドルと言われる。ウォール・ストリート・ジャーナルの記事は、香港を「中国の銀行が呼吸する肺」と称したが、世界最大級の中国経済は、香港という口から、外貨という酸素を補給しなければ生きていけない仕組みが、一国二制度のなかで作り上げられている。

†人民解放軍の介入を阻んだもの

本来、「一国二制度」下の香港でも中国は条件さえ整えば介入できる。香港には、人民解放軍の駐香港部隊およそ五〇〇〇人が返還以来駐留している。本部こそ香港の中心地の香港島にあるが、部隊はいずれも市街地から離れた場所にあり、市民との交流も少なく、制服姿で街を歩くことはない。「中華人民共和国香港特別行政区駐軍法」によれば、香港にいる解放軍は香港の地方事務には関与しないと規定されている。しかし、二つの方法によって、香港デモの鎮圧に対する解放軍投入は可能となる。

一つ目は、香港政府が中国政府に対して協力を求めることだ。香港基本法第一四条には「香港特別行政区政府が必要なとき、中央人民政府に対して、社会治安の維持や災害救助に駐留軍の協力を要請できる」と書かれている。前述の駐軍法によれば、香港政府の要請があれば、香港駐留解放軍は中央政府の許可および中央軍事委員会の命令に基づき、香港での任務の遂行が可能になる。

二つ目の方法は、中央の直接の指示による動員である。駐軍法第六条によると、「全国人民代表大会常務委員会」が「戦争状態」を宣言するか、国家の統一や安全への危害が及ぶような動乱が生じ、香港政府によってコントロールすることが不能な緊急事態に陥ったとき、中央政府の決定で駐港部隊が「全国性法律に規定された職務の遂行を行う」とされている。全国性法律による任務遂行になれば、一国二制度の前提は意味をなさなくなる。

一時は、香港と目と鼻の先の深圳で武装警察や公安が訓練するシーンがテレビやSNSで流され、世界中で第二の天安門事件を想像した。だが、香港の人々は落ち着いていた。中国の対香港依存の深さがあり、米中貿易戦争で中国経済が試練の時にあるなか、香港を失うことはできない。介入は切りたくても切れないカードだった。中国のボトムライン(底線)は我々が想像するよりはるかに深いところにあり、香港人はそのことを感覚的に見切っていたと言える。心理戦は香港が上手だった。

†中国で説得力を持つ「脱植民地化問題」

にもかかわらず、私が中港関係の将来に楽観になれない理由は、中国人の香港観がすっかり変わってしまったところにある。権威主義体制の中国でも民意が政治に与える影響は大きい。そして、現在の中国人の対香港感情は極めてよくない。

近年の中国における香港論で目立つのが「脱植民地化(去植民地化、去植)」論だ。香港では脱植民地化が徹底されていないので問題が起きる、という考え方である。返還前にも存在したのだろうが、香港の先進性の影に覆い隠され、表面化していなかった。昨今の中港矛盾の激化のなか、中国側が香港批判と脱植民地化問題を絡める傾向が強まっている。

中国は革命によって自立の道を歩んだが、香港とマカオは一九九〇年代にようやく返還された。香港では実際には革命が起きておらず、平和裏に英国から主権が移されただけだ。そのため、香港では脱植民地化が終わっていない、というロジックである。

中国の香港研究者である強世功《きょうせこう》は、「香港の平和的移行は脱植民地化を実際には完成させていなかったので、香港市民の国家アイデンティティの受容が緩慢《かんまん》になった」「香港基本法は香港が中華人民共和国に直属すると規定しているが、共産党の中国を認めず、中央の政治的主権も完全には認めないので、法律上の国家構築は完成しているのに、精神的な建国・政治アイデンティティ上の建国は完成していない」と書く。

やや乱暴に要約すると、香港には植民地根性が抜けきっていない連中がいるから、中央に反抗するのだ、と言っているといえよう。脱植民地化の問題は雨傘運動以後、頻繁に中国関係者から提起され、全国港澳研究会の陳佐洱《ちんさじ》会長は二〇一五年のシンポジウムで「香港に巨大な内部対立がある原因は脱植民地化を行っていないからである」と述べた。

第二章で紹介したスターフェリーターミナル埠頭の保存運動などに対して、「植民地時代の施設を、どうして集団記憶などというのか」という反応が中国にはあった。香港の道路名が今日でも英国植民地政府のリーダーらの名前を使っていることも、中国のメディアではしばしば疑問視する議論が掲載される。こうしたモラル的観点の批判はわかりやすいだけに、中国社会で幅広く受け入れられ、深刻な香港軽視の感覚を中国人の間に植え付けている。

当然、香港人はこうした中国人の見解には与さない。現実に、英国は香港を植民地にしたが、人口の大量移動が伴う植民行為はなかった。一方、中国は返還後、香港への移住の推奨によってすでに数十万人単位で中国人が香港に暮らすようになり、本土派などは「香港を植民地にしようとしているのは中国ではないか」と反論している。デモではわざと英国のユニオンフラッグを掲げているが、英国に戻ろうと主張しているのではなく、脱植民地化に固執する中国への当て付けでやっているのである。

†「犬とバッタ」論争

香港人と中国人の心理的葛藤に大きな影響を与えた問題に二〇一一年から二〇一二年にかけて発生した「犬とバッタ」論争があった。地下鉄で子供にお菓子を食べさせていた中国人女性に対し、香港人が注意した。香港では列車内の飲食は禁じられている。中国人女性はルールを知らなかったのかもしれない。お茶やジュースは普通大目に見られているのだが、言い方もキツかったらしく、女性も強く反論し、駅職員が仲裁に入る騒ぎになった。

これが話題になると、北京大学の孔慶東《こうけいとう》教授がネットニュースで「香港人は犬畜生」と発言した。ポイントは犬という言葉である。香港人は西洋かぶれで中国人を田舎者だと馬鹿にしている。自分たちは文明的な人間だと奢っているが、英国人に従っているだけの犬に等しい。そんな批判は脱植民地化論にも通じるものだった。

ちょうど香港では先述のD&G事件などが発生した時期で、感情的対立が高まる素地もあった。香港では大量に観光や移住で入ってくる中国人を「バッタ」と馬鹿にする言い方が広がっていた。西洋では中国人をバッタとする蔑称が存在したが、香港人は、日用品を買いあさる中国人をバッタと批判するようになった。批判合戦となり、返還後進んでいたと思われた「中港融合」とはまったく逆方向の心理動向となった。

動物や虫に例えて他人を揶揄することは中国語で珍しくはない。犬・バッタ論争から七年の時を経て、今回の抗議デモで中国人は、黒シャツ、黒マスク姿のデモ隊を「ゴキブリ」と呼んだ。一方、政治に無関心で経済活動に熱中している香港の人々を若者たちは「港猪」と呼ぶ。猪とはブタのことで、食べること＝経済優先主義を批判したものだ。

中国と香港の精神的分断は深刻だ。世界中で香港人のデモに中国人団体がカウンターデモを仕掛け、口論や衝突が起きている。中国政府は国内では情報統制を行っているが、自由な言論環境にある海外でも中国人は政府を支持し、「香港は家が小さく、貧困化しているからデモを行っている」「香港人は中国人を見下している」「背後で米国が香港を支援している」など、都合のいい先入観で香港デモを否定している。

中国メディアは香港のデモを「西洋の陰謀」であり、「植民地化された香港人は欧米人にうまく利用されている」と批判している。一部の香港人の中国批判に中国への差別意識が含まれている面もあるだろう。だが、数十万人、数百万人の香港人がそんな「陰謀」のために貴重な休日の時間をつぶして暑い夏の夜に集会にかけつけるはずがない。

かつて中国人が香港に抱いた愛情を知っているだけに、今日の中国・香港の感情的対立は痛々しい。過去の中国人や中国の指導者は、香港が異なる社会であるという認識を持ち、中港の間に一定の距離が保たれることで、お互いへのリスペクトが生まれていた。

しかし、中国と香港は同質という前提に立つことによって、香港のあらゆる現象が「反中国」に見えてしまう。中国人の香港観は深刻な悪循環に陥っている。自らの価値観が支持されないことを「脱植民地化の欠如」という空疎な理由でしか説明できない現状と、香港の「中国化」の推進が、新たな「植民地化」を招くリスクを、中国はまず正視すべきである。

習近平が権力を掌握した二〇一二年以来、中国の香港政策は変調をきたした。二〇一四年六月に「香港特別行政区における「一国二制度」の実践」に関する白書（香港白書）で「高度な自治」と矛盾しかねない「全面的統治権」を打ち出し、同年八月三一日に全人代で香港の普通選挙の可能性を否定すると、雨傘運動を招いた。二〇一九年の逃亡犯条例改正では半年間以上に及ぶ大規模な抗議デモを招き、国家安全法の導入準備を強行した。英国から領土として返還された香港で中国はかねてから「人心回帰（人の心の回帰）」が重要だと訴えてきたが、多様な価値観を有する香港社会への歩み寄りではなく、力づくの「人心回帰」に向かいつつある。現在の香港は二制度重視の「鄧小平の一国二制度」から一国重視の「習近平の一国二制度」へ切り替えられようとしている。

第九章

香港と香港人の未来

†世界史の中の香港

香港の歩みは、世界、そして中国と共にあった。

英国の東アジア進出と清朝の衰退による香港の領有以来、自由港として「東洋の真珠」と呼ばれるほどの目覚ましい発展は、植民地化された「不幸」を、豊かさという「幸福」で覆い隠した。日本軍の占領を経て、英国が香港に復帰し、第二次大戦後は東西冷戦構造の中に深く組み込まれ、世界の植民地独立ブームにも含まれなかった。

冷戦の東西対立の最前線となった東アジアでは、香港だけでなく、朝鮮半島、台湾もまた、分断の出現地であった。朝鮮半島では、三十八度線で区切られた南北が代理戦争を戦った。台湾海峡では、共産中国（中華人民共和国）と自由中国（中華民国）という「二つの中国」が東西を代表して向き合った。香港では、東西の境界線は深圳との間に引かれた。

今日も朝鮮半島は分断のままで、近い将来の南北統一は難しいだろう。台湾は「中国」の分断から、台湾の自立・分離へ局面が変わりつつある。香港は、返還によって中国の一部となり、境界線は物理的に消滅したが、香港社会の内部に「内なる境界線」を抱えこむ形となった。「一国二制度」は、その名称に現れているように、中国と香港の分断を前提としたもので、分断の現状を「五〇年不変」との約束で中国が追認する制度でもあった。しかし、返還から二〇年以上が経過したいま、全面的統治権の強化によって、中国は香港の「内なる境界線」を消していく方針を固め、これに香港社会は強く抵抗している。この香港の「内なる境界線」は、冷戦期のベルリンの壁にもたとえられることがあるが、香港の「東ベルリン化」を懸念する声は、国家安全法の導入でさらに強くなった。

ただ香港問題の主要争点は、「一国二制度か独立か」という二択の問題ではない。一国二制度の枠内で、香港人が求めるものと、中国政府が求めるものの折り合いがつくかどうかが問われ続けている。香港の良さを殺さないためにも、その折り合いが何より大切であるはずなのだが、極めて難しくなってしまっていることに、深い憂慮と危惧を抱かざるを得ない。このまま折り合いがつかなければ、少なからぬ香港人は先の見えないまま、海外移民という一国二制度の枠外で生きる道を選ぶだろう。香港人が今回の抗議デモで頻繁に語った言葉の一つに「絶望」があった。若者を絶望に追いやるのは、香港の未来の姿が見えないからである。国家安全法の導入により、絶望の色はさらに深まっている。

雨傘運動や抗議デモの発生は、一党独裁の権威主義を強めて、民主化からますます遠ざかる中国の政治体制が、民意に基づく香港社会の変化に適応できない構造的欠陥を示している。

現状に話を戻せば、二〇一九年一一月は一つの山場であった。香港中文大学、香港理工大学での警察との攻防、区議会選挙でのオール民主派の圧勝、マスク規制法の違憲判断、米国の香港・人権民主法案の可決という重大事案が続く怒濤《どとう》のような一〇日間だった。

大学での攻防で勇武派は数百人という大量逮捕を出して戦力を削がれた。大学に立て籠る戦術は「be water」の遊撃戦原則から外れた行動であり、当局に包囲殲滅作戦を可能にさせてしまった。一方、危機感を抱いた市民を投票所に向かわせ、議席数の八割をオール民主派が獲得した。区議会選挙の勝利は、米議会・米政府を動かし、一〇日間の攻防は、最終的には抗議デモ側に分がある形で幕を閉じた。

二〇二〇年初頭から起きた新型コロナウイルスの感染拡大で、抗議デモは事実上一段落を告げ、香港は新しい局面に入っている。総括してみれば、雨傘運動は敗北だったかもしれないが、今回の抗議デモは少なくとも敗北ではなかった。

†立法会選挙のリスク

新型コロナによる中港境界の遮断は、一時休戦という意味で冷却期間になったが、香港社会と香港政府・中国政府との間に生じた深い溝を埋めることにはならない。六月の抗議デモ一周年、天安門事件の追悼活動を経て、七月一日は香港返還の記念日であり、九月六日に立法会の選挙が予定される。一〇月一日には中華人民共和国の建国記念日（国慶節）もある。この政治日程の中に飛び込んできたのが国家安全法だった。

本書の刊行直後に行われる九月の立法会選挙がカギだった。二〇一九年一一月の区議会選挙で総議席数四五二議席の八割以上の三八八議席を勝ち取る歴史的勝利を収めたオール民主派が、「国政」の立法会でどれだけ得票と議席を伸ばすかが注目された。

単純小選挙区制の区議会は民意がストレートに反映されるが、立法会は親中派（建制派）に有利な制度設計であり、過半数の票数をオール民主派が取っても議席数では半数を超えない。香港の立法会選挙は三五議席を選ぶ職能別選挙（うち五議席は区議会選出）と三五議席を直接選挙で選ぶ五つの中選挙区選挙に分かれており、職能別の方で親中派が多く議席を獲得できる。過去にも、獲得票数はオール民主派が六対四で上回っていながら、議席数ではだいたい四対六で親中派に及ばない状況が繰り返されてきた。区議会選挙でも、オール民主派は大勝したとはいえ、得票数でみれば親中派は四割の票数を保持している。

オール民主派は過半数超えの四〇議席を目標に掲げた。過去の選挙に比べて、過半数に届く可能性が最も近くなった。香港の立法会の立法権限は制約されているが、象徴的な意味は小さくない。重要なのは区議会に続いて立法会でもオール民主派が勝利した場合、二〇二二年に迎える香港トップの行政長官選挙で、非親中派のトップが選ばれかねないという、中国にとって絶対に許容できない事態が起きるリスクである。

行政長官選挙は一二〇〇人の選挙人から選出される間接選挙で、立候補者は一五〇人の推薦者を得ないとならない。オール民主派は、現在、二〇〇人ほどいるとされるが、一一七人の推薦枠をもつ区議会選挙の圧勝に、七〇人の推薦枠を持つ立法会の勝利が重なれば、選挙人の三分の一を占める計算になる。二〇一七年の行政長官選挙のように、親中派から二人の候補者が出れば、親中派の非主流派の票と合わせてオール民主派の候補が当選できる可能性も出てくる。少なくともオール民主派がキャスティングボートを握る。北京の意中の人物以外が選ばれた場合、香港基本法に基づき、行政長官の任命権を持つ中国政府が拒否権を行使するかもしれない。そうなれば、香港は本当の意味でカオスに陥る。オール民主派はそこまで行って初めて中国政府が交渉のテーブルに乗ってくると踏んでいた。

　中国は「港人治港」を掲げるなか、経済界を代表する人々を中心に香港の指導層を構成してきた。しかし、その筆頭格の李嘉誠と中国側の関係は微妙になっている。親中派経済人も一枚岩で中国の方針に従うとはもはや言えない。間接選挙によって中国の意向の候補者を行政長官につけ、立法会でも選挙制度の操作によって安定的に多数を握るという香港の統治モデルは崩壊の淵に近づき、香港返還から二三年を経過し、五〇年不変の中間地点に差し掛かりつつあるなか、香港は大きな分水嶺《ぶんすいれい》に立った。

　若者は圧倒的に「中国化」を拒否している。若い世代ほど、自分は中国人ではないと自己定義する「香港アイデンティティ」は強烈である。さらに、二〇一四年の雨傘運動や二〇一九年の抗議デモの経験が、その信念を強固にした。警察との激しい衝突が、多くのカリスマリーダーを生み、骨の髄まで中国を憎むような若者が社会に溢れる。

　抗議行動には、大学生だけではなく、高校生や中学生も数多く参加している。香港政府によれば、二〇一九年に逮捕されたおよそ六〇〇〇人のうち、約四〇%は学生であり、一八歳以下が一〇〇〇人近くを占めていた。世代間の争いでは、親中派は今後、次第に不利な状況に追い込まれていく。二〇四七年の「期限」のときに彼らは社会の中枢を占める一方、親中派として次世代を担っていく若者は皆無と言っていいであろう。

†香港版国家安全法の浮上

この状況を座視できなかったのが中国だった。

五月に入り、新型コロナ情勢がようやく出口が見えかけてきたタイミングを見計らったかのように、突然、浮上したのが、中国による国家安全法の香港への導入である。同時に、香港問題は米中対立の最大のテーマに浮上し、新型コロナ感染拡大の間はしばらく静かだった香港問題に再び世界の注目が集まった。だが、明らかに、二〇一九年までと、香港問題の局面が変わっていることも同時に印象付けた。なぜならば、中国は、全人代で法案を制定し、香港基本法の付属文書にするという手法で、完全に香港社会の頭越しに、国家安全法を香港に導入することにしたのだ。

前述のように、九月の立法会選挙で、オール民主派が過半数の議席を取ってしまいかねないという、選挙制度の設計時には誰も想定していなかった事態が起きる可能性が浮上し、中国がその阻止のために切ってきたカードだと目されている。

九月の立法会選挙に向けて、中国が何らかの手を打ってくる、ということは誰もが薄々感じていたが、正直、中国の決定は想像の上をいっていた。

五月二一日、中国の全人代が記者会見を開き、香港に関する国家安全法を審議することを明らかにし、翌二二日に草案が公表された。

もともと香港の基本法には、国家安全法の制定を想定した第二三条があり、国家への反逆、分裂、反乱扇動、転覆、国家機密窃取ならびに外国政治団体との連携を犯罪とする法律を、香港政府が自ら制定しなくてはならない、と規定している。二〇〇三年に香港政府が導入を試みたが、五〇万人デモで実施が凍結されていた。

†国家分裂を口実に?

多くの国にも、国家安全への脅威を犯罪とする法制は存在する。しかし、香港の基本法に入れられようとしている「国家分裂と政権転覆」という罪は「コモン・ロー上にはない概念、つまり、従来の香港法には存在しなかった犯罪類型である」(香港法研究者の廣江倫子・大東文化大学准教授)とされているところに、香港の人々がこの法律の導入を恐れるポイントがある。国家分裂などを口実に、あらゆる反対派の行動を封じてしまう中国の状況が、香港に出現しかねないことが、この問題の最大のポイントだ。

二〇一九年の抗議デモをみれば、第二三条での導入を香港政府に求めることは困難だ。そこで今回、香港人の抵抗が及ばない全人代常務委員会の決定という形が取られたとみられる。本書を最終校正している二〇二〇年七月第一週現時点で、最もまとまった香港版国家安全法に対する中国政府の説明は、五月二五日の王毅外相による記者会見であろう。

王毅外相は「香港のことは中国の内政で外部の干渉は許さない」「中国と香港を分裂させようとする勢力の暴力活動がエスカレートしている」「警戒すべきは一部の政治勢力が中米関係を人質に取り、新冷戦に向かわせようとしていることで、これは歴史を後退させるやり方だ」と暗に米国を意識した意見を展開した。さらに「中央政府が香港における国家の安全に最も大きく最終的な責任を負っている」と述べて、従来から強調している「全面的統治権」に触れつつ、「香港の高度な自治には影響を与えない」と述べている。外国勢力の干渉への対抗措置という点では新華社通信も同じ内容の論評を出しており、全人代の議論でも、同様の発言が相次いだ。米中対立を意識しながら香港の抑え込みを行うために、香港版国家安全法を導入する狙いが透けて見えてくる。

その後、全人代は五月二八日、国家安全法の立法化を進めることを賛成二八七八票、反対一票、棄権六票の圧倒的多数で可決した。

そして六月三〇日に全人代常務委員会が可決し、香港で施行された国家安全法は六章六六条で構成される。「国家分裂」「政権転覆」「テロ活動」「外国勢力との結託」による国家安全への危害について、無期懲役以下の刑事罰を科す。中国政府の出先機関「国家安全維持公署」が設けられ、国家安全に関わる政策については香港政府を指導し、自らも情報収集や分析を行う。同公署は「外国勢力が絡む複雑な案件に対して管轄権を行使する」として、自らの法執行を行うことを示唆した。

香港政府は国家安全維持委員会を設置し、中国から顧問が派遣され、行政長官が任命する裁判官が国家安全に関する事件を裁くこととしている。香港の法律と矛盾した場合は、国家安全法が上位適用される。多くの人が「ここまでとは……」と驚いたほど徹底した内容で、香港の司法の独立は大きく制約され、言論や集会の自由にも影響が及ぶ。香港における「一国二制度」が大きく損なわれることは避けがたい情勢となった。

†香港政府を信用しない中央

共産党指導部は、香港政府の統治能力に信頼を置いていない。本来、一国二制度は、香港政府への信頼をもとに成り立っていた制度であった。そのため、行政長官は、親中派が勝利するように設計され、立法会選挙も、職能別選挙を取り入れて民主派の議席が伸びないように考えられている。だが、それでも香港は中国の思うようにはなってくれない。そのことを二〇一四年の雨傘運動で痛感し、二〇一九年の抗議デモを経て中国は香港に対して「あきらめ」をつけたのだと思う。

それは二〇一九年一一月に開かれた共産党の四中全会（中国共産党第一九期中央委員会第

四回全体会議）で香港問題について以下の決定が行われていることによく示されている。

1、現行の法律と制度を完全なものにし、香港に対する中央の全面管轄権を定着させる
2、国家安全を守る法律制度と執行のメカニズムを立ち上げて健全化させる
3、愛国者を主体とする香港統治でなければならず、中央は行政長官と主要官員に対する任命権、監督権、罷免権を有する
4、教育制度を完成させ、国民教育の失敗を正視する

四中全会当時、私は出張で北京に滞在しており、あらゆるメディアが香港問題について一斉に「放置できない」というムードをひしひしと感じた。ほぼ同時期、習近平国家主席は南米訪問で、「香港で続いている過激な暴力犯罪行為は、法の支配と社会秩序を踏みにじっており、「一国二制度」の原則への重大な挑戦だ」と述べている。このとき、国家安全法の導入方針は固まっていたとも考えられる。法制化となれば一定の時間は必要だ。立法会選挙でのオール民主派の過半数獲得を懸念したものだとすれば、五月の全人代がタイムリミットだった。コロナ禍のあいだ、北京は密かに着々と準備を進めていたに違いない。

全人代は形式的にすぎない決定を行う機関とみなされて「共産党のラバースタンプ（ゴム印）」などと言われているが、香港に対しては、常にその前にたちはだかる大きな壁となっていた。

†全人代解釈の積み上げ

一国二制度によって、中国とは異なる法制度が存在する香港では、中国の法制度との接点は限定的であるのだが、そのなかで実際に両者をつなぐものとして存在しているのが、全人代常務委員会が行う香港基本法解釈だ。

香港基本法では、第一五八条で同法の解釈権は全人代に属すると明記している。特に外交など香港自治の範囲の外に関する案件については、全人代常務委員会が返還以来何度か解釈権を行使してきた。しかし、全人代で公平な審議が行われることは期待できない。香港の司法問題の解釈権が、中国の立法機関にあるという矛盾は、一国二制度そのものの矛盾である。これまでは、中国が背後にいたとしても、香港政府がその行為主体であったため、香港社会は選挙とデモによって掣肘《せいちゅう》できた。しかし、国家安全法は中国が直接立法を行うため、撤回させるのは不可能だった。

それでは国家安全法の導入で何が起きるのか。共産党への抗議や批判を掲げたデモや集会は難しくなる公算が大きい。導入初日の七月一日には「独立」と書かれた文書を持っているだけで逮捕された者もいた。新聞や出版にも、天安門事件や中国の民主化、中国内政への批判などを取り上げることのリスクが高くなる。外国の政治家やメディアと面会することや外国で香港問題について体制批判的な言動をとることも罪に問われる恐れが生じる。

九月の立法会選挙の立候補資格に対する介入も心配されている。中国は国家安全法の対象を「ごく少数」としているが、いくらでも「ごく少数」の拡大解釈は可能だ。民主派、本土派の候補が過去の主張などをもとに立候補資格の取り消しが行われれば、さらなる香港市民の不満を呼び起こすだろう。何よりも一国二制度の五〇年間維持を国際公約としてきた中国の信用を落とすことになる。

†香港情勢をめぐる米中対立

さらに事態を複雑にしているのは、米国と中国の深刻な対立が、香港問題の悪化とシンクロしながら加速度的に進んでいることである。その結果、香港問題は米国による対中制裁のカードとなっている。そのことをまざまざと示したのが、五月二九日午後（米国時間）にトランプ大統領が行った対中制裁などに関する演説であった。

トランプ大統領の七分半の演説は、もしかすると、一つの歴史の曲がり角を象徴するものになるかもしれない。米テレビから、日本時間の早朝に流れてきた映像をみながら、慄《りっ》然《ぜん》とする思いがした、慄然などと大袈裟な言葉かと思われるかもしれないが、ほんの一〇日前に全人代が香港版国家安全法の導入を発表したときも慄然としたので、短い間に香港をめぐって二度も慄然とさせられたことになる。

トランプ大統領の演説の全文を読むと、かなりまっとうなことを語っている。

「二十数年前の一九九七年、小雨の降るある夜、英国の兵士がユニオンフラッグを降ろし、中国の兵士が中国国旗を高く掲げた。香港人は、自らのなかに中華の伝統と香港の特殊なアイデンティティが同時にあることに誇りを感じた。香港市民は、未来の歳月のなかで中国が日増しに輝かしく活力のある都市になることを望んでいた。香港が過去の中国のようになるのではなく、中国の未来は香港に見ることができると、世界が信じていた。このような前向きな感情は、世界の人々を興奮させた」

スピーチライターが原稿を書いているにせよ、ここまで文学的な香港論がトランプ大統領の口から語られるとは正直思いもよらなかった。対中制裁のメニューを盛大にテーブルの上に置いて、香港への優遇措置の廃止手続きに入ること、香港への輸出管理強化を行うこと、香港の自治を侵害した中国・香港の当局者の制裁、中国人学生らの入国禁止、そしてWHO（世界保健機関）からの脱退など、今後とりうる行動のリストを列挙した。

このトランプ大統領の演説が実行に移されたら、その影響は計り知れない。米国政府は香港返還時に施行した「米国・香港政策法」で、香港に「特別な地位」を付与した。そのなかでは、香港はWTO（世界貿易機関）協定上の独立した関税地域と見做《みな》され、香港からの輸入関税はゼロに近かった。これを取り消されると、香港には巨額の追加関税がかかることになる。また、香港の国際金融センターとしての地位を保全するため、米ドルと香港ドルは自由な交換が認められているが、これも反故にされてしまうと、香港ドルは国際化されていない人民元と同じ扱いになり、香港への投資資金やファンド資金が一気に引き揚げられ、香港ドルと香港市場の大暴落を招きかねない。

二〇一九年、香港情勢の懸念が高まるなかで「香港人権・民主主義法」が成立し、米国務省が毎年、香港の状況について米議会に報告することを義務付けた。アメリカ政府の対応は、この法律をさっそく用いたもので、国務省が「自治が認められない」と報告すれば、制度上は、優遇措置撤廃のトリガーを引くことができる。ポンペオ国務長官は国家安全法の施行後、香港への優遇措置をわずかな例外を除いて撤廃すると言明した。

香港は貿易総額世界七位、新規株公開IPO調達額は世界一であり、経済都市としてはアジアトップレベルの存在感を持つ。対中ビジネスの拠点として、米国企業は一三〇〇社、日本企業もほぼ同数が香港に事務所を構えている。

米中両国は、この香港を生かすか殺すかが問われている。中国の国家安全法と米国の制裁はチキンゲームのようなものだ。香港問題は米中関係最大の焦点になり、下手をすると、本当に経済都市・香港の命運は二〇二〇年に尽きるかもしれない。

†マカオ化か北アイルランド化か

香港の危機の構図は基本的に中央―辺境の緊張関係である。その緊張がコントロール不能に近づいた場合、その先になにがあるのか。シミュレーションを試みたい。

二〇一九年の香港情勢の悪化のなかで浮かび上がったのが「北アイルランド化」だ。

英国は一八〇一年にアイルランド島を併合。一九四九年にアイルランドが独立したが、プロテスタント系住民の多い北アイルランドは英領にとどまった。アイルランドとの統合を目指すカトリック系住民は分離独立を目指し、IRA（北アイルランド共和軍）に代表される武装勢力が中心になって、長年泥沼の反英闘争を続けた。北アイルランドと香港を模することは冒険的な連想だが、香港に愛着を持つ若者たちを弾圧し続ければ、地下活動に傾く勢力が生まれかねない。彼らは、自らの命をもって中国の浸透を食い止めようとするだろう。暴力の連鎖の末の最悪のシナリオの一つがこの「北アイルランド化」である。

一方でこれも可能性としてあり得るのは、今後、香港の事態が、香港警察による取り締まりと司法・行政を駆使したDQ（失格）などによって押さえ込まれ、香港で一切の不満や抗議が消えてしまうことだ。これを「マカオ化」と呼ぶことができる。

香港とマカオは社会構造がかなり違うので現実的ではないと思われるかもしれないが、習近平指導部は、中国に協力的で従順なマカオのように香港を作り替えていきたいと考えているのは明らかだ。近年、習近平指導部が打ち出す「全面的統治権」とは、つまるところ、マカオのようにほとんど反対派がいない香港をイメージしているはずである。二〇二〇年に入って、国家安全法の導入で香港がマカオ化へ向かう可能性は一気に高まった。

豪州化、台湾化、沖縄化というシナリオ

ほかにも、オーストラリアのように、植民地から英連邦下で自治権を獲得し、最終的に独立を実現していくシナリオもある。香港もまた英国の植民地であったため、もし相手が中国でなければ、そうなっていたかもしれない。一国二制度は、現時点では「融合」は想定していても「分離」は想定しておらず、中国が認める可能性は低い。

隣の台湾のように流血を経ずに「中国国家」から次第に地域国家になっていく「台湾化」は、香港の人々からすれば、わかりやすいモデルであろう。ナショナリズムとアイデンティティが同時成長している台湾は、香港の状況と近接性も高い。「今日の台湾は明日

の香港」というスローガンも香港で叫ばれている。だが、これもオーストラリア化同様、共産党が絶対に認めないという壁が立ちはだかっている。

香港出身で日本通でもある前出の林泉忠氏は香港の「沖縄化」を論じている。沖縄化という言葉は日本では誤解を受けやすいので丁寧な説明が求められるが、沖縄はもともと琉球王国という独立国であり、中国と日本への両属状態であったが、明治になって日本に編入された。沖縄のアイデンティティは常に日本と一線を画している部分もあるが、日本という国家の枠内でいることについては大きな議論は起きていない。ただ、米軍基地などの問題で常に中央政府と意見が対立するなど緊張関係は続く。

香港の沖縄化は、ある意味で、抗争する人々を内部に抱えている香港の現状がしばらく維持されるシナリオであると言える。日本人からすると沖縄と香港を結びつけることに心理的な抵抗を感じる向きもあるかもしれないが、「矛盾を抱えつつ、体制内に留まる辺境地域」という意味では、香港の沖縄化も十分あり得るシナリオだった。

†香港・マカオ・台湾政策の行き詰まり

二〇二〇年一月の台湾総統選での蔡英文勝利は、習近平体制が自ら招いた結果だと総括できる。習近平の香港に対する強硬姿勢は、台湾社会で一国二制度への警戒感を高めていた。そこに飛び出したのが二〇一九年一月二日、習近平による一国二制度での台湾統一発言だった。直前にあった統一地方選の大敗で半死状態だった蔡英文は、従来の温和な対中姿勢をかなぐり捨て、「一国二制度は絶対に受け入れない」と嚙み付いた。まさに窮鼠猫《きゅうそねこ》を嚙《か》む。世論の喝采を浴び、V字回復が始まる。

だが、これを単純な判断ミスと捉えるより、中国の「港澳台政策」の長期的な行き詰まりという歴史的視点で見るべきである。港澳台とは、香港、マカオ（澳門）、台湾からそれぞれ一文字ずつ取った略称だ。

中国は「復興」を国家の原理原則におく珍しい国家だ。「復興」とは単なる経済的発展ではなく、欧米諸国や日本に蹂躙《じゅうりん》された弱者の屈辱を晴らすということを意味している。中国近代史は、大国としての地位を喪失し、蹂躙され、戦乱に巻き込まれる歴史だった。中国政治には、歴史の傷痕の修復というプログラムがビルトインされることになった。

その傷痕の修復を確認できる具体的な証拠は奪われた領土の回復である。その国家復興事業が、英国からの香港回収、ポルトガルからのマカオ回収、そして、日本の統治を受けた台湾の統一である。中国には三地を一体と見なす「港澳台政策」があり、相互に連動しながら「一国二制度」という横串で貫かれている。中国の統治機構上は、統一済みの「港澳」と、統一未達成の「台」で分離されている部分もあるが、基本は外交と内政の中間に港澳台問題は位置付けられ、国家のリソースが優先的に投入される仕組みがある。

一九九七年の香港返還と一九九九年のマカオ返還を実現し、二〇〇八年の北京五輪の祝賀ムードに包まれ、台湾ではその年に国民党の馬英九《ばえいきゅう》政権が誕生して中台関係の雪解けが起きた。「中国モデル」「北京コンセンサス」などの言葉が喧伝され、東アジアの新たな覇者としての中国の道のりは揺るぎないように見えた。その大国の復興のなかで、香港、マカオ、台湾は新中国に従う新たな臣となることが中国の描く未来である。

逆に言えば、中国にとっての真の意味での「復興」は、香港、マカオ、台湾をすべて取り戻さなければ完成しない。二〇一二年に政権を握った習近平はその志向性を強く打ち出す指導者として登場している。就任直後に国家博物館を訪問して「復興の道」の展示を見学した。そこで「中国の夢とは何か。私の理解では、中華民国の偉大なる復興を実現することが、近代における中華民族の最も偉大な夢である」と述べた。

中国ナショナリズムを研究した早稲田大学教授の劉傑《りゅうけつ》は「その時点から、多くの中国人は、中国がアヘン戦争以来失われた強国の地位を取り戻しつつあるという認識を共有することになった」と指摘している。「中国の夢」の復興路線を掲げる以上、失われた領土の回復はさらに不可避の課題となった。台湾を取り戻し、香港・マカオはより中国と一体化させる。強国路線の帰結の一つは「港澳台」へのコントロールの強化であった。

ところが、二〇一四年のひまわり・雨傘運動、二〇一六年の民進党政権の誕生、二〇一九年の香港抗議行動、そして二〇二〇年の蔡英文の圧勝と、ことごとく習近平路線は裏目に出ている。昨年一二月のマカオ返還二〇周年記念式典で習近平は一国二制度の功績をアピールしたが、人口六〇万人のカジノ経済をチャイナマネーで漬け込んでの成功は、港澳台政策の本丸である香港、台湾の失敗を覆い隠すには、あまりに不十分である。

✝東アジアの変動

一連の「港澳台政策」の失速が示唆するものは何か。新しい地殻変動がアジアで起きているのではないか。そうした予感が次第に強まっている。その現象とは何であるのか。それは台頭する中国と自由世界のせめぎあいの表出である。

香港、マカオ、台湾は、いずれも「中国」の辺境であり、同時に外部世界との接点、境界、あるいは緩衝材であった。これらの地域は、歴史的に対外勢力に奪われたもので、港澳台が存在するメリットは、多くの国々が異質と見なす社会主義・権威主義体制の中国に対する緩衝材になってくれることで、その前提は、中国の主権は形式上存在するが、在地住民に納得のいく自治や自由もあり、ハイブリッドな辺境性が維持されていることだ。

だからこそ、建国以来、中国には特殊な港澳台政策が必要とされた。中国の空港では

「港澳台」行きのフライトは国内線でも国際線でもない位置付けで、どちらかと言えば国際線の方に割り振られている。港澳台は「内」の衣服をまとった「外」を取り扱うための特殊政策なのである。

しかし、現在の中国の港澳台政策は、国家を背景にした経済の力で民主や自由、自治といった価値観を求める相手の口を塞《ふさ》いでしまうように見える。中国国内では徹底した言論管理で経済優先を隅々まで行き渡らせ、治安と秩序を維持することは可能かもしれない。しかし、自由主義や人権の尊重、言論の自由が保障される香港や台湾のような場所で、そのロジックは通用しない。この一年間の香港での抗議デモと台湾選挙での国民党の惨敗で、港澳台政策の行き詰まりが事実上証明されてしまった。その失敗を力で一気に挽回しようとするのが国家安全法の導入であるが、台湾の一国二制度への信頼は同法で完全に消失する形となった。

†「借りた場所」から自分の場所へ

香港は、相手の身分や肩書きでは拒まないが、台湾のように誰でも温かいもてなしで受け入れてくれる、という土地柄ではない。それは香港自体が過客《かかく》の場所であるからである。香港のもつ寂しさはだから独特である。香港は活力にみなぎったネオンの輝きというイメージがあるが、私は必ずしもそうではない。香港に暮らしていると次第に寂しさが募ってくる。香港人の持つ心の空洞が、伝染してくるように感じる。

それは、すべてが過ぎゆく香港だからこそ感じる寂しさではないだろうか。

その点を最もうまく言い表したのが、イタリア人と結婚した華人作家ハン・スーインの「借りた時間、借りた場所」という名言だ。しばしば誤解されているが、この言葉はハン・スーインのオリジナルではない。

中嶋嶺雄によると、一九五九年の『ライフ』誌一二月七日号で掲載された「香港の十年の軌跡」と題する記事で、ハン・スーインは香港のことを「借りた場所に借りた時間で目覚ましく活動している」と記したという。同時に、この言葉は、共産主義革命が起こったため、上海から香港に逃げてきた実業家のトム・ウーから教えられたことも彼女は明らかにしている。これが彼女のオリジナルであったかどうかは別にして、この言葉が半世紀を超えて語り継がれているところに、その秀逸さは十分に証明されている。

英国は中国から借りた香港を返したが、いま、自らの存在を中国と切り離そうともがいている香港の若者たちは、借りた時間ではなく、本物の時間を、借りた場所ではなく、本物の場所を、探し出そうとしているように映る。かつて香港は「明日を考えない」ところだと言われた。だが、いまの香港人は「明日のため」に戦っている。

空間と時間の概念は、共同体にとって重要だ。人々がどのように自分の土地を思い描くのか。人々がどのように自分の歴史を思い描くのか。それは、決して固定されたものではない。日本が古事記を編んで日本という国家が立ち上がったように、香港はいま一五〇年という時間の香港史をナショナル・ヒストリーとして位置付ける傾向が強まっている。猫の額のような小さな土地を、ホームランドとして考えようとしている。「短い歴史しかない小さな香港で何ができるのだろうか」と読者は思われるかもしれないが、世界のなかで、香港よりも歴史が短く、国土が小さい国は、数えきれないほど存在する。共同体、あるいはネーションとは「想像」によって現実を望む形に作り上げていくものである。

香港で進んでいたことはネーションの誕生を求める香港ナショナリズムの顕在化と言うことができるだろう。このネーションは独立のためのアクションに直結する「国家」を直接的には意味しないが、香港のために死を厭《いと》わないと称する若者たちが希求するのは、国家・中華人民共和国民の幸福ではなく、共同体・香港の幸福である。

現在の香港ナショナリズムは、必ずしもネーションを求めるものではない。だが、強い共同体意識を備えつつある。現在地の香港ナショナリズムは、市民的な共同体ナショナリズムであると言えるだろう。

ナショナリズム研究で名高いアーネスト・ゲルナーが言うように「ナショナリズムの問

題は国家のない社会には起こらない」。国家がなければ、その境界が民族の範囲と一致するか否かを訊《なず》ねることは明らかに不可能で、支配者がいなければ支配者が被支配者と同じ民族であるかを問うこともできないからである。

香港においては、様々な文化や歴史の積み上げがあり、無意識下であっても、香港社会の一体性はゆるやかに成立していた。しかし、英国の支配下でもその国家性は香港で顕在化せず、ナショナリズムは刺激されなかった。これは、近代史からすれば奇跡的なことであるが、国家性をあえて香港では顕在化させないほうが誰にとっても有利だという暗黙の「契約」が、香港と中国、香港と英国との間に成立していたとも言えるだろう。

だが、中英返還交渉、香港返還を経て、香港人は香港という共同体を意識し、中国という国家を意識するに至った。共同体を知り、国家を知った香港に対しては、中国は力で押さえ込む方法を選び、香港の共同体性を弱める方向に舵を切った。しかし、それは香港のナショナリストに、「中国と自分たちは違う」という抵抗のエネルギーを与えている。

ナショナリズム研究のもう一人の大家、ベネディクト・アンダーソンは日本での講演で「今後は、昔の戦争のように領土争いに基づく戦争はほとんどないと思いますし、領土の拡張もあり得ないと思います。だからといってネーションが誕生しなくなるというわけではありません」として、「この分離独立のプロセスに最も脆弱なのは、古い帝国が、ネーションを装っているような国の場合です」「中国とインドもそうです。これらの古く、巨大で、時代遅れの帝国は、岩や石ころをその内部に抱えていて、それらはいつの日か自立の道を歩む道を夢見ているというわけです」などと述べている。

ここでアンダーソンが「岩」を比喩に用いているのは、かつて「岩」と呼ばれた香港を想起させるもので示唆的である。アンダーソンは「それが平和裏に実現するか、暴力的に行われるかは、予測はつきません。ただそれが起こることだけは確かです」とも述べた。簡単に香港が分離独立できると言っているわけではない。その可能性は短期的にはきわめて低いだろう。しかし、アンダーソンが言うように、将来のことは予測がつかない。二〇一九年の抗議行動の予測ができなかったように、一時的に国家安全法で抑え込んだとしても香港の将来は不透明さを高めており、混乱のリスクは低く見積もられるべきではない。

†日本人が耳を傾けるべきことは

第六章で見てきたように、日本は香港と歴史的に深い関係を結んできた。香港は日本人にとっても特別な場所なのに普段、香港情勢に関するニュースは中国の影に隠れて限定的かつ断片的に報じられてしまいがちだ。

香港には二万人を超える日本人が在留している。これは台湾全体の在留邦人数に等しく、一都市としてみれば世界のなかでトップレベルの多さである。日系企業の拠点数は一四〇〇を超えており、米国系企業と数の多さでトップを争っている。

香港は日本の農林水産物・食品の輸出先としてもナンバーワンで、日本のナマコやアワビ、フカヒレなどの乾物はとても香港で歓迎されている。

香港も日本と同様に平均寿命が世界的に高い一方で、深刻な高齢化社会に直面しており、同じ社会的課題を共有している面でも、台湾、韓国と並んで東アジアのパートナーとしてより深く付き合っていける相手であろう。香港住民の英語能力が高いことも交流には有利に働く。何より、香港ほど「中国」という課題に最先端で向き合っている土地はない。権威主義体制を強めながら、経済的な台頭を続ける中国といかなる関係を築くかは、世界共通の課題であり、中国と近接する東アジアでは一層深刻かつ重要であることは論を俟《ま》たない。そのなかで、香港の人々は、中国の一部ということで忘れられがちだが、自由・民主・法治を掲げる社会として、中国と最先端で向き合わざるを得ない運命に置かれ、そのメリットとデメリットを彼らほど知悉《ちしつ》している人々は世界にいない。その香港経験を、対中関係から我々はもっと吸収することができるのではないだろうか。

中国に対して「多様性」「多制度」「多民族」を求めることは、中国内部の中央集権性をマイルドに外部へ適合させる方法を中国に重視させることになり、長い目でみて、日本と中国の共存共栄にも役立つ。ウイグル、チベット、モンゴルなどの民族問題を抱える中国にとっても、香港や台湾の情勢悪化は、中国の民族自治への信頼を失わせる。

香港の状況が日本の喫緊の課題として論じられることはまだ多くない。だが、中国の台頭という現象に日本以上にシビアに直面している香港の人々の声にもっと耳を傾け、中国に反省・自制をうながすメッセージを発するべきだ。二〇一九年、香港情勢に関して日本政府の対応が習近平国賓訪日に配慮したせいで抑制的であった、という見方も根強い。

香港で起きていることは、日本にとって他人事《ひとごと》や対岸の火事ではない、という認識を日本社会が持つことが何より重要である。香港の生活水準は先進国レベルにあり、彼らが信じる民主や自由、法治という理念は、日本人も共有するものだ。小さな香港の人々が自分たちの将来を自ら決定したいと、巨大な中国に対して、身の危険を覚悟で声を上げている。彼らは米国の陰謀に乗せられているわけでも、経済水準が貧しくて不満を蓄積しているから街頭に立っているわけでもない。中国の介入や圧力によって、本来保障されるべき自由や主体性が奪われ、開かれた社会が閉ざされることを恐れている。

日本は対中外交の戦略性からも、リベラリズムを支える価値観からも、香港問題に積極的に関わることが望ましい。今後は特に、国家安全法の抑制的運用を、継続的に強く働きかけていくべきだ。

†「ノー」の意思表示

香港のデモについて、デモ隊の行動も過激化しているといった部分が強調される議論が見られた。しかし香港では、警察が使用した催涙弾の数が二万発に近づき、実弾も対人使用されるなど、クレイジーとしか思えない公権力の過剰行使が行われている。圧倒的な力に、かろうじて火炎瓶で抵抗する若者を安全な日本の地から「暴力的だ」と諫《いさ》めるより暴力に訴えざるを得ない問題の根底に何があるのかを考えるべきである。

香港の若者たちがマスクを外した表情は、驚くほど幼く、そして、無邪気にすら思える。彼らは将来の損失を計算することなく、催涙弾のなかに飛び込み、日本人がすでに手にして空気のようにしか思えない民主や自由を求めて、本当の血と涙を流して戦っている。もちろん、その背後には、自らデモに参加しない人々でも、その行動を支持する世論があって、半年間におよぶ運動が香港政府と中国政府を振り回すことができた。

強大な権力との抗争で、「合法性」を完全に維持しながら戦っていくことには限界がある。一方、武装闘争やテロは香港社会や国際社会の支持を得るものではない。そのギリギリの線のなかで、香港の社会生活や経済活動を麻痺させる妨害行動を選んだ彼らの半年間の日々を、「暴力」「無謀」と一刀両断で否定することも難しい。対中関係を重視するなど主張しているのではない。中国との信頼関係の再建、交流の促進、経済関係の強化は極めて重要である。しかし、中国のために香港を無視していいのかといえばそうではない。

香港の運動を理想化する必要はない。日本が香港のようになれというのではない。ただ「暴力」という言葉で切り捨てる前に、彼らの戦いを振り返り、その思いを想像することによって、同じ時代、同じ地域に生きている我々が学ぶべきものが何であるのか、謙虚に考えるべきではないだろうか。それだけの価値がこの香港の一年にはあった。

返還後、香港では「中国化」が進んだと誰もが感じていた。それは押し戻せない流れのように思えた。しかし、香港の人々は、誰も予想できない形で、強烈なノーを中国に突きつけた。その中国へのノーは、私たちの心の中にあるノーだった。中国のすべてを否定するわけではない。その発展と成長は称賛したい。しかし、その先には自由や民主という希望があって欲しい。それを欠いてしまっていては共に歩めない。そんなノーを、香港は世界に代わって中国に突きつけた。私たちはその大切さを汲み取りたい。

あとがき

冒頭に書いた初めての香港訪問の話には、続きがある。

広州で聖書を渡したあと、私たち一行は吉林省《きつりんしょう》の長春《ちょうしゅん》にある吉林大学に行き、中国語の短期研修を受けた。帰国は再び香港経由だった。数日間の滞在の間に、香港にいた日本人の知人に、九龍の「廟街」の占い師のところに連れて行かれた。沢木耕太郎と同じく、廟街の洗練を受けたわけである。

廟街の名前のもとになった媽祖《まそ》を祀っている天后廟《てんこうびょう》のそばに、たくさんの占い師が露天でテーブルを並べている場所がある。私が座らされたのは「当たる」と評判だという黒ぶちのメガネをかけた初老男性が占うテーブルだった。近くから広東オペラのにぎやかな鳴り物が聞こえた。名前と生年月日、生まれた時間を書かされ、「何が知りたい」と訊かれたので、「将来どんな仕事をしているのか知りたい」と尋ねた。

占い師は中国語では算命師と呼ぶが、確かにあのときの私は、それからの人生で待ち受ける運命が知りたかった。占い師は分厚い本を取り出してパラパラとめくってメモにあれこれ書き込んでから、「あなたは作家になる」と確かに言った。

占い師はたいていメンタリストなので、私が頭でっかちな学生に見えたから、喜ばせてあげようと、そんな答えを思いついたのかもしれない。でも、そんなことはどうでもよくて、私は占い師の「予言」の通り、文章を書く仕事を選んで、今まで三〇年ほど続けてきた。きっと今後も続けていくだろう。文章を書くことは天職のように思ってはいるが、それなりにしんどいし、だんだん自分の才能の限界みたいなものもわかってくるので、心が折れそうになって、もうやめようかなと考えることがないわけではない。そういうときに何となく占い師のことを思い出して自分を励ましている。

だから、この占い師にも、廟街にも、香港にも、私は恩を感じている。

香港についての単著は初めてとなる。香港について、いつか本を書きたいと思っていながら、あの占いの日から三〇年以上が経過した。その間、香港は天安門事件に揺れ、英国から中国に返還され、雨傘運動があり、抗議デモが起き、いまは国家安全法が導入されようとしている。香港の運命を占うつもりでこの本を書き始めたが、そんな簡単なことではなかった。香港の未来は五里霧中の彼方にある。

この本は当初、二〇一九年冬ぐらいの刊行を目指していたが、抗議デモで、事態を見極めるまで出版ができなくなった。仕切り直しで二〇二〇年六月に出版しようと決めたが、新型コロナウイルスの影響で、香港渡航ができなくなった。取材の総仕上げに、会いたい人、訪れたい場所がまだ残っていたので、再度の延期を決めた。しかし、新型コロナウイルスの感染防止を理由に外国人の入境を禁じる措置が、九月の立法会選挙の終了後まで続くことになった。この措置は外国メディアの報道を抑制しようという政治的目的を感じさせるが、いずれにせよ、香港訪問は当分困難だと判断し、追加取材に見切りをつけ、八月の出版に切り替えた。思いがけず浮上した国家安全法のことを内容に盛り込むことができたのは出版の遅れによる不幸中の幸いだったが、本書のタイトルを当初想定の『香港とは何か』から『香港に希望はあるのか』や『香港の絶望』に変えようと思ったほど、国家安全法の導入は大きなインパクトがある。香港を香港ならしめてきた多くの良さが失われるおそれが高まっている。

しかし、いままでがそうであったように、常に悲観論を覆してきた香港の底力を信じたい。産経新聞は国家安全法導入の七月一日、一面トップで「香港は死んだ」と書いたが、香港は死なないし、終わらないと信じたい。だから、タイトルは変えなかった。我々が日本からできることは、関心を持ち、意見を表明することだけだ。そして香港の問題は他人事ではなく日本にもつながっている。その価値観をもとに書かれた本書が、日本社会の香港理解に貢献できることを願っている。

二〇一六年に出版した『台湾とは何か』と、一九年に出版した共著（国籍問題研究会）

の『二重国籍と日本』に続いて、編集を担当してくれた松本良次さんにはお礼を伝えたい。安定した丁寧な仕事ぶりに、いつも助けられている。私も末席に名前を連ねている香港史研究会の皆さんが惜しまずにシェアしてくれる香港に関する知識に本書は多くを負っている。香港への思いに溢れた先人の著作の力を大いに借りたことは言うまでもない。文中で紹介できなかったものは巻末に参考文献として挙げさせていただいた。

そして、私の香港入門の導き手になってくれた香港在住の伝導師、故・木村詔子さんの墓前に、この本を献げたい。

最後に、取材に協力してくれた方々を含め、香港の皆さんに深い感謝と「香港加油、香港人加油」というエールを送り、ひとまず擱筆《かくひつ》したい。

参考文献

●日本語文献

アグネス・チャン『ツバメの来た道』中央公論社、一九八九年
アーネスト・ゲルナー『民族とナショナリズム』岩波書店、二〇〇〇年
稲垣清『香港返還と中国経済』蒼蒼社、一九九七年
上村幸治『香港狂騒曲』岩波書店、一九九四年
遠藤誉、深尾葉子、安冨歩『香港バリケード』明石書店、二〇一五年
大石英司『香港独立戦争　上下』中央公論社、一九九六年
大村真紀『香港セピア物語』大和書房、一九九七年
小川さやか『チョンキンマンションのボスは知っている――アングラ経済の人類学』春秋社、二〇一九年
加藤鉱『ヤオハン――無邪気な失敗』日本経済新聞社、一九九七年
邱永漢『香港・濁水渓』中公文庫、一九八〇年
邱永漢『1997香港の憂鬱』小学館、一九九七年
許家屯『香港回収工作　上下』筑摩書房、一九九六年
木本正次『香港の水――日本人の記録』講談社、一九九一年
倉田徹『中国返還後の香港――「小さな冷戦」と一国二制度の展開』名古屋大学出版会、二〇〇九年
倉田徹編『香港の過去・現在・未来』勉誠出版、二〇一九年
倉田徹、吉川雅之編著『香港を知るための六〇章』明石書店、二〇一六年
ケリー・ラム『香港魂――返還された香港人』扶桑社、一九九七年

興梠一郎『「一国二制度」下の香港』論創社、二〇〇〇年
小島朋之『中国が香港になる日――統一か分裂か』時事通信社、一九九二年
小林英夫、柴田善雅『日本軍政下の香港』社会評論社、一九九六年
塩出浩和『可能性としてのマカオ　曖昧都市の位相』亜紀書房、一九九九年
周保松、倉田徹、石井知章『香港雨傘運動と市民的不服従――「一国二制度」のゆくえ』社会評論社、二〇一九年
島泰三『安田講堂1968-1969』中公新書、二〇〇五年
陳舜臣『阿片戦争』講談社文庫、一九七三年
陳舜臣『世界の都市の物語16 香港』文藝春秋、一九九七年
中嶋嶺雄『中嶋嶺雄著作選集――香港・台湾への視座』桜美林大学北東アジア総合研究所、二〇一五年
中園和仁『香港返還交渉――民主化をめぐる攻防』国際書院、一九九八年
羽仁未央『香港は路の上』徳間文庫、一九八九年
林ひふみ『中国・台湾・香港　映画のなかの日本』明治大学出版会、二〇一二年
久末亮一『香港「帝国の時代」のゲートウェイ』名古屋大学出版会、二〇一二年
平野久美子『食べ物が語る香港史』新潮社、一九九八年
廣江倫子『香港基本法解釈権の研究』信山社、二〇一八年
福島亮太、張彧暋『辺境の思想――日本と香港から考える』文藝春秋、二〇一八年
ベネディクト・アンダーソン『定本　想像の共同体――ナショナリズムの起源の流行』書籍工房早山、二〇〇七年
マシュー・ポリー『ブルース・リー伝』亜紀書房、二〇一九年
門間貴志『中国　台湾　香港――アジア映画にみる日本一』社会評論社、一九九五年

劉傑『中国の強国構想――日清戦争から現代まで』筑摩選書、二〇一三年
廖建龍『香港崩壊と日本――中国共産党が仕掛けた「罠」』光文社、一九九七年
山口文憲『香港世界』ちくま文庫、一九八六年
遊川和郎『香港　返還二〇年の相克』日本経済新聞出版社、二〇一七年
四方田犬彦、也斯『往復書簡　いつも香港を見つめて』岩波書店、二〇〇八年
和田一夫『ヤオハン「中国で勝つ」戦略』TBSブリタニカ、一九九五年

●中国語文献（繁体字及び簡体字）

陳冠中『中國天朝主義與香港』OXFORD、二〇一二年
陳冠中『我這一代香港人』OXFORD、二〇〇五年
陳雲『香港城邦論』天窗出版、二〇一一年
陳雲『香港城邦論Ⅱ 光復本土』天窗出版、二〇一四年
陳多主編『改革開放四〇年與香港』三聯書店、二〇一九年
陈佐洱『交接香港――亲历中英谈判最后一二〇八天』中国文史出版社、二〇一九年
朱耀偉『香港關鍵詞――想像新未來』香港中文大學出版會、二〇一九年
湯家驊等『我們是香港真本土』明報出版社、二〇一九年
夏慤村聲『雨傘見聞錄』美藝書畫社、二〇一五年
吳叡人『受困的思想――台灣重返世界』衛城出版、二〇一六年
閻小駿『香港 治與亂 二〇四七的政治想像』三聯書店、二〇一五年
周子峰『圖解香港史』中華書局、二〇一八年
周永新『香港人的身份認同和價值觀』中華書局、二〇一五年

鄭煒、袁瑋熙編『社運年代——香港抗爭政治的軌跡』香港中文大学出版社、二〇一八年
劉細良『香港知識人』上書局出版社、二〇一四年
徐承恩『鬱躁的城邦——香港民族源流史』圓桌文化、二〇一五年
駱頴佳「邊緣上的香港——國族論述中的（後）殖民想像」印象文字InPress、二〇一六年
張徹『回顧香港電影三十年』三聯書店、二〇一九年
黃志輝編『香港電影二〇一五』香港電影評論學會叢書、二〇一六年
強世功『中国香港——文化與政治的視野』OXFORD、二〇〇八年
二〇一三年度香港大學學生會學苑『香港民族論』學苑、二〇一五年
林泉忠『誰是中國人——透視台灣人與香港人的身份認同』時報文化、二〇一七年
方志恒編『香港革新論』漫遊者、二〇一五年
梁英杰、高翔訳『明治時期香港的日本人』三聯書店、二〇一六年
劉泳夏『香港弱化——以香港歷史博物館的叙事為中心』圓桌文化、二〇一六年
余杰『香港獨立』主流出版、二〇一九年

掲載写真はすべて著者撮影です。

ちくま新書
1512

香港《ホンコン》とは何《なに》か
二〇二〇年八月一〇日 第一刷発行
著者 野嶋剛(のじま・つよし)
発行者 喜入冬子
発行所 株式会社 筑摩書房
東京都台東区蔵前二-五-三 郵便番号一一一-八七五五
電話番号〇三-五六八七-二六〇一(代表)
装幀者 間村俊一
印刷・製本 三松堂印刷 株式会社

ISBN978-4-480-07326-6 C0222

1185
台湾とは何か
野嶋剛
国力において圧倒的な中国・日本との関係を深化させる台湾。日中台の複雑な三角関係を波乱の歴史、台湾の社会・政治状況から解き明かし、日本の針路を提言。

1440
二重国籍と日本
国籍問題研究会編
旧態依然かつ不透明な国籍法の運用で、国籍を剝奪されたり、無国籍者に陥る悲劇やナショナリズムに絡めたバッシングが発生している。どこに問題があるか。

1498
香港と日本
——記憶・表象・アイデンティティ
銭俊華
二〇一九年から続くデモ、中国大陸の同化政策、日本のサブカルチャーの受容や大日本帝国の記憶……香港出身の研究者が香港の現在と「日本」を考察する。

1345
ロシアと中国　反米の戦略
廣瀬陽子
孤立を避け資源を売りたいロシア。軍事技術が欲しい中国。米国一強の国際秩序への対抗……。だが、中露蜜月の舞台裏では熾烈な主導権争いが繰り広げられている。

1327
欧州ポピュリズム
——EU分断は避けられるか
庄司克宏
反移民、反グローバル化、反エリート、反リベラルが世界を席巻！　EUがポピュリズム危機に揺れる理由は、その統治機構と政策にあった。欧州政治の今がわかる！

1262
分解するイギリス
——民主主義モデルの漂流
近藤康史
EU離脱、スコットランド独立——イギリスは政治の機能不全で分解に向かいつつある。もはや英国議会政治は民主主義のモデルたりえないのか。危機の深層に迫る。

1258
現代中国入門
光田剛編
あまりにも変化が速い現代中国。その実像を政治史、文化、思想、社会、軍事等の専門家がわかりやすく解説。歴史から最新情勢までバランスよく理解できる入門書。

ちくま新書

294 デモクラシーの論じ方 ——論争の政治 杉田敦

民主主義、民主的な政治とは何なのか。あまりに基本的と思える問題について、一から考え、デモクラシーにおける対立点や問題点を明らかにする、対話形式の試み。

655 政治学の名著30 佐々木毅

古代から現代まで、著者がその政治観を形成する上でたえず傍らにあった名著の数々。選ばれた30冊は混迷を深める時代にこそますます重みを持ち、輝きを放つ。

945 緑の政治ガイドブック ——公正で持続可能な社会をつくる D・ウォール 白井和宏訳

原発が大事故を起こし、グローバル資本主義が行き詰まった今の日本で、私たちはどのように社会を変えていけばいいのか。巻末に、鎌仲ひとみ×中沢新一の対談を収録。

1176 迷走する民主主義 森政稔

政権交代や強いリーダーシップを追求した「改革」がもたらしたのは、民主主義への不信と憎悪だった。その背景に何があるのか。政治の本分と限界を冷静に考える。

1241 不平等を考える ——政治理論入門 齋藤純一

格差の拡大がこの社会に致命的な分断をもたらしている。不平等の問題を克服するため、どのような制度を共有すべきか。現代を覆う困難にいどむ、政治思想の基本書。

1353 政治の哲学 ——自由と幸福のための11講 橋爪大三郎

社会の仕組みを支えるのが政治だ。政治が失敗すると、自由も幸福も壊れかねない。政府、議会、安全保障、年金など、政治の基本がみるみる分かる画期的入門書！

1393 教養としての政治学入門 成蹊大学法学部編

いま政治学では何が問題になっているのか。政治史・政治理論・国際政治・福祉・行政学・地方自治などの専門研究者が12のテーマで解説する、知の最先端への道案内。

ちくま新書

905
日本の国境問題
――尖閣・竹島・北方領土
孫崎享
どうしたら、尖閣諸島を守れるか。竹島や北方領土は取り戻せるのか。平和国家・日本の国益に適った安全保障とは何か。国防のための国家戦略が、いまこそ必要だ。

1195
「野党」論
――何のためにあるのか
吉田徹
野党は、民主主義をよりよくする上で不可欠のツールだ。そんな野党に多角的な光を当て、来るべき野党を、これからの対立軸を展望する。「賢い有権者」必読の書！

1236
日本の戦略外交
鈴木美勝
外交取材のエキスパートが読む世界史ゲームのいま。「歴史」の和解と打算、機略縦横の駆け引き、舞台裏で支えるキーマンの素顔……。戦略的リアリズムとは何か！

1299
平成デモクラシー史
清水真人
90年代の統治改革が政治の風景をがらりと変えた。「小泉劇場」から民主党政権を経て「安倍一強」へ。激動の30年を俯瞰し、「平成デモクラシー」の航跡を描く。

1355
日本が壊れていく
――幼稚な政治、ウソまみれの国
斎藤貴男
「モリ・カケ」問題、官僚の「忖度」、大臣の舌禍事件……。政治の信頼を大きく損ねる事件が、なぜこれほど続くのか？　日本の政治が劣化した真因を考える。

1488
令和日本の敗戦
――虚構の経済と蹂躙の政治を暴く
田崎基
安倍長期政権の末路ここにあり。崩壊寸前のこの国はやがて「令和の敗戦」を迎える。経済政策の虚構、疲弊する労働者、権力の暴走と欺瞞を気鋭の記者が迫真ルポ。

1495
平成政治史
――政界再編とポスト冷戦型社会運動
大嶽秀夫
政党が離合集散を繰り返し、政界再編に明け暮れる一方、ＳＥＡＬＤｓや脱原発運動等の新型の社会運動が注目を集める。激動の三〇年を俯瞰する政治史決定版。